Хосе Эдуардо де Сикейра

# Образование в области биоэтики

ScienciaScripts

This book is a translation from the original published under ISBN 978-613-9-62183-5.

Publisher:
Sciencia Scripts
is a trademark of
Dodo Books Indian Ocean Ltd. and OmniScriptum S.R.L publishing group

120 High Road, East Finchley, London, N2 9ED, United Kingdom
Str. Armeneasca 28/1, office 1, Chisinau MD-2012, Republic of Moldova, Europe

ISBN: 978-620-7-27450-5

# Образование в области биоэтики

*Жозе Эдуардо де Сикейра**

**ПРЕДИСЛОВИЕ:**

В этом сборнике объединены две главы книги по клинической биоэтике, опубликованные в 2008 и 2016 годах соответственно, первая - издательством Editora Gaia в Сан-Паулу, вторая - Федеральным советом по медицине, по случаю XI Бразильского конгресса по биоэтике, III Бразильского конгресса по клинической биоэтике и III Международной конференции по преподаванию этики, состоявшихся в сентябре 2015 года в Федеральном округе. Мы участвовали в качестве организаторов обеих работ. Публикации были очень хорошо приняты преподавателями университетов в области здравоохранения, что свидетельствует о большом академическом интересе к этой теме. Биоэтика - это новая область знаний, которая была включена в программу медицинских курсов в соответствии с рекомендацией Министерства образования по подготовке специалистов с большей социальной ответственностью и способностью поддерживать уважительный диалог с пациентами, которые являются пользователями Единой системы здравоохранения.

Мы приветствуем нынешнюю инициативу Novas Edigoes Academicas, направленную на распространение биоэтики среди более широкой аудитории, чем просто ученые.

Хосе Эдуардо де Сикейра, май 2018 г.

---

* Хосе Эдуардо де Сикейра: Доктор медицины Университета штата Лондрина (UEL), магистр биоэтики Чилийского университета, действительный профессор медицины Папского католического университета Параны (PUCPR), профессор основ биоэтики и клинической биоэтики в аспирантуре по биоэтике PUCPR, Действительный член правления Международной ассоциации биоэтики (IAB) (2009-2013), президент Бразильского общества биоэтики (SBB) (2005-2007), действительный член Медицинской академии штата Парана.

# 1 КОНЕЦ МЕДИЦИНСКОГО ПАТЕРНАЛИЗМА

Бернард Лоун, ученик Сэмюэля Левина, одного из самых выдающихся кардиологов XX века, утверждал, опираясь на солидный опыт более чем 40-летней профессиональной практики, что врачи разучились искусству врачевания. В самом деле, никогда еще медицина не продвигалась так далеко в диагностике и лечении самых разных заболеваний, как в прошлом веке, но никогда еще больной человек не чувствовал себя таким далеким от внимания врача. В своей книге *"Утраченное искусство врачевания"* Лоун осуждает преувеличенное внимание, которое уделяется в медицинских учебных заведениях подготовке специалистов, которые, по его словам, должны стать "главными научными руководителями и менеджерами сложных биотехнологий", игнорируя подлинное искусство быть врачом. Он отметил, что истинная "врачебная мудрость" - это способность понимать клиническую проблему не с точки зрения органа, а с точки зрения всего человеческого существа, и в итоге осудил: *"(...) врача ищут с тем, с кем надо".) "Мы ищем врача, с которым мы чувствуем себя спокойно, когда описываем свои жалобы, не боясь подвергнуться многочисленным процедурам; врача, для которого пациент никогда не является статистикой (...), но, прежде всего, человеком, чья забота о пациенте оживляется радостью служения (...)"* (LOWN, B.1997). С другой стороны, тезис о том, что каждый недуг пациента может быть идентифицирован с помощью технологий, по-прежнему остается актуальным. Мы добились необычайного прогресса в наших знаниях о болезнях, забыв о больном человеке и начав лечить болезни людей, а не тех, кто случайно заболел. Молодых студентов учат работать с оборудованием и считывать бесчисленные биологические величины, но не учат осознавать человека как биопсихосоциальную и духовную единицу.

Розенман рассказал о "via crucis" пожилого пациента, перенесшего операцию шунтирования коронарной артерии, который в позднем послеоперационном периоде начал страдать от лихорадки и анемии. Его госпитализировали в известную американскую больницу, где он был обследован командой компетентных специалистов и прошел множество семиологических процедур, включая эндоскопию верхних отделов желудочно-кишечного тракта, колоноскопию и компьютерную томографию позвоночника с последующей биопсией спинного мозга. Диагностические подозрения варьировались от множественной миеломы до рака с метастазами в позвоночник, пока адекватное физикальное обследование не выявило наличие систолического шума в митральном очаге, и диагноз инфекционного эндокардита был окончательно установлен и подтвержден культурой крови, идентифицировавшей *Staphylococcus epidermidis в* качестве этиологического агента. Автор обращает внимание на извилистый путь, использованный для установления окончательного диагноза, показывая, что бесчисленные специалисты, вызванные для дачи заключения о заболевании, делали это после длительного и тщательного исследования "в рамках своих конкретных областей знаний", игнорируя самые основы медицинского учения, признающего человеческий организм как сложную единицу, состоящую из органов и систем, которые взаимодействуют непрерывно и непрерывно. Нет ни одного стимула, поступающего из внешней среды, который не был бы воспринят центральной нервной системой, немедленно передан всем остальным системам органов и привел бы к выражению какого-либо человеческого чувства (ROZENMAN, Y., 1997).

Поиск "Великого здоровья", воображаемого Сфезом в глобализированной утопии XXI века, похоже, указывает на общество, структурированное по правилам *предельной* научной объективности, где *"никто не будет оплакивать ни смерть врача, ни смерть судьбы, ни даже смерть души, очередную старость, замененную коллективным существом".* (SFEZ,L., 1996.) Перед лицом растущей замены клинических рассуждений на информацию, предоставляемую сложным оборудованием в современных биомедицинских технологиях, стоит задаться вопросом, не станут ли в какой-то момент медицинские работники ненужными для принятия клинических решений. Уже сейчас на бесчисленных виртуальных платформах существуют программы, позволяющие взаимодействовать между наблюдателем и машиной таким образом, что можно проводить диагностику, сопровождаемую терапевтическими подходами, которые теперь не требуют консультации врача. Если научные знания полностью хранятся в машинах, не достаточно ли пользователям обращаться к этим виртуальным источникам, чтобы получить решение своих проблем со здоровьем? Можно ли игнорировать постоянный поиск медицинской информации в знаменитом ныне Dr. Google? Однако каждый медицинский работник знает из личного опыта, что любая болезнь вряд ли может проявляться исключительно в органической или психической, социальной или семейной сферах, потому что он понимает, что она всегда будет одновременно органической и психической, социальной и семейной - состоянием, которое никогда не сможет определить машина, оснащенная искусственным интеллектом. Более того, когда пациент обращается к врачу, он неизменно ищет помощи, которая не ограничивается простым избавлением от косвенного недуга. Отношения между врачом и пациентом никогда не перестанут быть интерсубъективным упражнением, переживаемым двумя людьми - медицинским работником и пациентом, - которое будет эффективным только в том случае, если оно будет проходить с принятием, активным слушанием, уважительным диалогом и надеждой на излечение страдальца.

Симптомы, которые приводят пациента на консультацию, всегда таят в себе немало загадок. Что скрывается за постоянной головной болью или болью в груди молодого банкира? Если артериальное давление при физикальном обследовании составляет 150 x 100, достаточно ли этого, чтобы диагностировать гипертонию? Достаточно ли назначить гипотензивный препарат с целью коррекции наблюдаемого аномального уровня давления, чтобы считать лечение проведенным? Симптомы - это сообщения, которые необходимо расшифровать. Редукционистская модель, заложенная в картезианской медицине, сделала реальной маловероятную линейность между физическими симптомами, аномальным уровнем артериального давления и гипертонической болезнью. Хороший анамнез может показать, что истинная причина головной боли и гипертонии кроется в стрессовой рабочей обстановке, поэтому назначение гипотензивных средств - это злонамеренная и неуместная практика. Правильным средством будет принять молодого человека и, активно выслушав, понять его как человека, ставшего уязвимым из-за стрессовой рабочей обстановки. Однако было бы неразумно подвергать его обширному и дорогостоящему обследованию в поисках органической патологии, которая оправдывает наличие гипертонии. Это немое искусство, которое заключается в распознавании болезни только по физическим признакам. Врач, который так поступает, несомненно, заслуживает того, чтобы его заменил доктор Google. Эта модель медицины далека от той, которую предлагает Гайяр для действий медицинских работников в XXI веке. Автор выделяет шесть необходимых этапов для их характеристики. Первым является приветствие, затем анамнез и физический осмотр. Последние три этапа - диагностика, назначение и разделение. Самым большим препятствием для выполнения этих этапов, помимо картезианского обучения, являются возмущенные высказывания французских врачей, услышанные исследователем: "При низкой сумме наших гонораров неужели вы думаете, что мы можем найти время для всех этих вещей?" (GAILLARD, J.R., 1995).

К сожалению, сегодняшняя медицинская практика указывает на жестокую реальность, которую можно свести к следующему: обслужить пациента в кратчайшие сроки, выписать любое лекарство и как можно скорее избавиться от этого неудобного и малооплачиваемого обязательства. Профессионал и пациент, физически такие близкие и аффективно такие далекие, почти не смотрят друг на друга и не прикасаются друг к другу. По сути, они даже не уважают друг друга. Таким образом, практикуется самая извращенная модель здравоохранения: слепой и глухой. Глухой, потому что пациента не воспринимают как личность и даже не слышат. Слепая, потому что, ограничиваясь пониманием болезни только как выражения биологических переменных, подтвержденных вспомогательными тестами, она не признает пациента как биографическое существо. Исследование, проведенное с целью оценки отношений между врачом и пациентом в государственных и частных медицинских учреждениях города Лондрина, показало, на какой стадии находится эта настоящая катастрофа отношений. Было опрошено 647 пациентов, 324 из которых были пользователями Единой системы здравоохранения (SUS) и 323 - частной медицинской страховки. Результаты опроса пациентов государственной системы здравоохранения показали: а) пациенты провели более 90 минут в приемной, прежде чем попасть на прием к врачу: 171 (53,1 %); b) во время консультации к ним не обращались по имени: 105 (32,6%); в) консультация длилась менее 10 минут: 223 (69,9%); г) пациенты не проходили физический осмотр: 97 (30,2%) (SIQUEIRA, J.E., 2005).

Связь между профессионалом и пациентом, которую навязывает аугментация здоровья, должна быть результатом двух взаимодополняющих движений. Пациент, который ищет специалиста, и тот прием, который он должен ему предложить. Оба эти движения качественно отличаются друг от друга, но Гиппократ нашел слово для их описания: "philia", что можно перевести как дружба, любовь, солидарность и сострадание. По мнению Лаина Энтральго, это чувство должно обязательно присутствовать в любом медицинском обслуживании. Для этого он вспоминает слова великого испанского клинициста Грегорио Маранона: "Я никогда не имел такого представления о ценности конституционального элемента в медицине во всей его трансцендентности, как когда читал свои первые истории болезни: истории, собранные с такими подробностями, но с таким плохим методом, на последних курсах медицинского института и в первые годы профессиональной и больничной жизни. В них описывались симптомы, анализы (химические и *бактериологические) и, иногда, поражения, другими словами, болезнь; но пациента там не было. Ни одного упоминания о том, каким был человек, перенесший болезнь..."* (ENTRALGO, P.L.,.1986)

XX век принес самое необычайное развитие биомедицинских технологий, но при этом парадоксальным образом снизил доверие к врачам. Пациенты доверяют технологиям и не доверяют профессионалам. В то же время они ценят информацию, предоставляемую оборудованием, и недооценивают способность врачей выносить точные диагностические суждения. Добавьте к этому растущее присутствие частных педагогических компаний, руководствующихся исключительно финансовыми интересами, и в итоге мы получим хаос, царящий в здравоохранении нашей страны. Нестабильная система подготовки кадров, выпускники, мало заботящиеся о социальной ответственности, и низкие профессиональные зарплаты - вот дополнительные ингредиенты несъедобного блюда, которое предлагает бразильская система здравоохранения.

Как мы можем восстановить истинную гиппократовскую *"филию"* в обществе, которое недооценивает применение принципа инаковости в медицинской практике? Лайн Энтральго предлагает три основополагающих принципа для сближения врача и пациента в более гармоничных отношениях: а) Принцип максимальной технической компетентности: специалист должен иметь основательную техническую подготовку, позволяющую ему разумно использовать все инструменты, которые предлагает наука; б) Принцип хорошо выполненной работы: врач должен использовать свои интеллектуальные способности и технические знания, руководствуясь только благом пациента; в) Принцип подлинности блага: в ситуациях морального конфликта специалист должен уважать подлинные интересы пациента в соответствии с ценностями, выраженными им самим. (ENTRALGO, P.L., 1983). Очевидно, что существует тесная связь между "дорожной картой", предложенной Энтральго, и четырьмя основными принципами подготовки специалистов для XXI века, предложенными ЮНЕСКО: учиться знать, учиться делать, учиться быть и учиться жить вместе (CIRET-UNESCO, 1997).

До этого уровня еще далеко, но давайте посмотрим: в 1996 году Федеральный совет по медицине (C.F.M.), Национальная федерация врачей, Бразильская медицинская ассоциация и Фонд Освальдо Круза опубликовали интересный документ под названием "Профиль врачей в Бразилии". В томе IV, посвященном данным, собранным в штате Парана, приводятся следующие результаты: а) 68,4% врачей имели три работы, а 31,6% работали на четырех и более работах; б) 88,1% зависели от личных и/или семейных средств к существованию, получая мизерные доходы от договоров с медицинскими компаниями, групповой медицины или медицинских кооперативов; в) 82,8% заявили, что испытывают сильное физическое и психическое истощение при выполнении своей профессии; г) 65,5% выступают за забастовки, причем 5,3% считают, что в этих условиях следует приостановить даже оказание неотложной помощи. Вот заключительные слова документа: *"В этом неблагоприятном для врачей сценарии будущее профессии видится большинству с сильным негативным чувством, отражающим недовольство и отсутствие профессиональных перспектив, которые сейчас представляются бразильским врачам".* (PERFIL DOS MEDICOS NO BRASIL, 1996). В результате этих тревожных отзывов C.F.M. провела в следующем году "Международный семинар по медицинской профессии". По случаю этого события президент Бразильской медицинской ассоциации сказал: "(...) *Еще одним важным вопросом стало качество обслуживания. Что происходит с врачами по всей Бразилии в последние два-три года? В той мере, в какой он мог посетить десять приемов за теоретически хорошую цену, которая в то время была еще приемлемой, а сейчас полностью обесценилась, врач выбрал для себя гораздо более удобную альтернативу: он не реагирует, не говорит, что не будет посещать приемы, и предпочитает удвоить количество приемов в больничных кассах, чтобы получить адекватный финансовый результат. В результате падает качество. Врач, который обычно принимает десять пациентов, никак не может принять двадцать пациентов за один час. Это напрямую влияет на качество [предоставляемых услуг]"* (SEMINARIO INTERNACIONAL-PROFISSAO MEDICA, 1997). В 1998 году C.F.M. опубликовал документ "Os medicos e a Saude no Brasil" ("Врачи и здоровье в Бразилии"), в котором говорится следующее: *"Является ли это просто результатом или порождающим фактором кризиса, неважно, но факт в том, что процесс подготовки врачей в современном обществе сопряжен с огромными проблемами. Технологические основы практики, являющиеся сегодня истинной опорой медицинской подготовки, сталкиваются с дилеммой, что они не приносят пользы большинству общества, которое лишено доступа к ним или получает их в незначительной степени. Индивидуалистическая привлекательность, основанная на отношениях между врачом и пациентом, вдохновленных клятвой Гиппократа, и порождающая кустарную модель предоставления услуг, которая, несомненно, была эффективной в былые времена, стала настоящим анахронизмом. Современная медицина сильно опосредована в институциональном, бюрократическом и экономическом плане, а медицинские школы, похоже, не осознают этого факта, осуществляя свою преподавательскую и лечебную деятельность так, как если бы времена были другими".* (OS MEDICOS E A SAUDE NO BRASIL, 1998) Эти данные, взятые из опросов, проведенных C.F.M. в течение трех лет подряд, говорят сами за себя. Дополнительные исследования, проведенные в нынешнем веке, показывают аналогичные, если не более тревожные результаты. Поиск нетипичных решений, таких как программа Mais Medicos ("Больше врачей"), в рамках которой предлагалось подготовить больше специалистов для удовлетворения низкого спроса со стороны муниципалитетов, испытывающих нехватку врачей, оказался несостоятельным. Недавнее исследование, проведенное учеными из Университета Сан-Паулу (USP) при финансовой поддержке CFM, показало, что существенных изменений в распределении врачей по различным регионам страны не произошло. (SCHEFFER, M. 2018) Обоснование довольно простое и сводится к тому, что в муниципалитетах, где не хватает специалистов, должны быть созданы минимальные условия для того, чтобы медицинская практика стала возможной. Как можно заниматься медициной, если у врача нет минимально необходимой больничной инфраструктуры или клинико-аналитической лаборатории, способной проводить базовые тесты для поддержки диагностических и терапевтических процедур? Именно этот вопрос федеральное правительство либо не задало, либо не захотело решить до запуска официальной программы, предпочтя принять упрощенное решение, не имеющее фундамента для воплощения его в жизнь. С другой стороны, если процесс глобализации неизбежен и мы стремительно движемся к циничной реальности минимального государства, где господствует закон свободного рынка и правило "спасайся, кто может", долг ответственных лиц - сохранить минимум нравственности. Если центральное правительство выбирает другие приоритеты и решает уклониться от основных обязанностей, таких как безопасность, образование и здравоохранение, медицинские работники не могут не выявить и четко не обозначить, кто является виновником и жертвой этого общества, которое глобализирует потери и приватизирует прибыли. Немногие профессии обладают такой привилегией - разделять и смягчать человеческую боль и страдания, как те, кто занимается здравоохранением. Поэтому забота о больных никогда не может быть продиктована отношением неуважения или недовольства, потому что главный герой этой заботы - человеческое существо, к которому нельзя относиться как к объекту, потому что оно само по себе является целью и наделено достоинством. Это существо, которое Бофф называет священным, субъектом личной истории и важнейшим элементом построения более гуманного общества, способно жить с тайнами мира и вести диалог с ними, спрашивать о высшем смысле жизни и общаться с другими людьми, видя в них образ Творца. Поэтому суть действий человека всегда должна быть направлена на заботу.

(BOFF, L., 1999 a)

Перед лицом указанных трудностей становится очевидным, что искусство хорошего ухода было дехарактеризовано. С другой стороны, необходимо признать, что индивид и коллектив являются частью одной и той же реальности, они - сочлененные члены одного тела. Человек и общество - неразделимые сущности. Они реагируют на одни и те же стимулы и в то же время страдают от одних и тех же болей.

Если мы примем правила свободного рынка в качестве руководства к действию, то непрекращающийся поиск личной выгоды, логика накопления благ и презрение к другим будут преобладать. Таким образом, люди, фауна, флора и все богатства, которые нас окружают, теряют свою внутреннюю ценность и превращаются в товар, который продается на огромной торговой площадке Лишь мимоходом мы можем указать на некоторый необратимый ущерб, который эта модель наносит жизни на планете, просто рассмотрев данные, представленные Всемирной комиссией ООН по окружающей среде в 1992 году. Тогда было подсчитано, что каждый год 6 миллионов гектаров продуктивных земель превращаются в пустыню, что означает потерю площади, эквивалентной территории Саудовской Аравии каждые 30 лет. Ежегодно уничтожается более 11 миллионов гектаров леса, что означает потерю территории Индии каждые 30 лет (SIQUEIRA, J.E., 1998).

Американский ученый Кеннет Боулдинг назвал капиталистическую модель экономики "ковбойской", основанной на кажущемся неограниченном изобилии ресурсов и территорий, которыми можно пользоваться и захватывать в соответствии с бэконовским правилом порабощения природы и постановки ее на службу человеку, что представляет собой безответственный и хищнический антропоцентризм. (BOFF, L., 1999 b) Логика рынка ориентирована на конкуренцию, а не на сотрудничество. Он - это все, и все проблемы общества должны решаться в нем. Этот фундаментализм придает центральное значение оппортунистическому и спекулятивному финансовому капиталу, который разрушает экономику развивающихся стран и делает невозможной подлинно человеческую жизнь. Какое отношение это имеет к здоровью человека, о котором пойдет речь в этом очерке? Данные Всемирной организации по делам детей за 1998 год показывают, что около 250 миллионов детей работают в нездоровых условиях, многие из них в возрасте до пяти лет. В Латинской Америке работали 3 из 5 детей, в Африке - 1 из 3, в Азии - 1 из 2. XXI век, пробуждаясь, демонстрирует нам показатели социальной несправедливости, аналогичные, если не худшие, чем те, что были представлены до сих пор (BOFF, L., 2001).

Рассматривая микрокосмос, представленный человеком, мы понимаем, что долгое господство картезианства в науке изгнало из жизни качественное и навязало количественное. По словам Макса Вебера, последним этапом совершенствования этой модели являются *"специалисты без духа, чувственники без сердца, и это ничтожество воображает, что достигло уровня цивилизации, который никогда не был достигнут прежде"*. (RIEFF, P., 1990)

Все медицинские работники признают, что нет такой болезни, которая проявлялась бы вне личного темперамента, уже пережитого опыта и переживаний, и даже если она предстает с похожей физиономией в целом, ее следы всегда проявляются в деталях, своеобразных красках биографического человеческого существа. Говоря словами Фуко, *"больной человек - это болезнь, приобретшая особые черты, наделенная тенью и рельефом, модуляциями, нюансами, глубиной, и задача медицинского работника, описывающего болезнь, состоит в том, чтобы распознать эту живую реальность"*. (FOUCAULT, M., 1998). Каждый человек болеет по-своему, независимо от того, как медицинские работники относят его к той или иной нозологической категории. Каждое лечение должно быть уникальным в межличностной конструкции "врач-пациент". Лайн Энтральго описывает чувство идентичности пациента как целостного человека следующим образом: *"Это мое живое тело, которое думает, хочет и чувствует".* (ENTRALGO, P.L., 1996)

Специалистам, воспринимающим в качестве реальной только свою область знаний, то есть небольшую территорию своего познания, необходимо прислушаться к предупреждению Маркузе, который описывал одномерного человека как того, кто специализируется на одном языке и воспринимает мир только через него.

Для него, эксперта, *"мир - это только то, что игры его языка регистрируют как истинное. Остальное нереально".* (MARCUSE, H., 1964). В реальном мире люди играют во множество игр одновременно: игры в любовь, игры во власть, игры в знание, игры в удовольствие, игры в дела, игры в игру, игры в соблазнение и даже игры в болезнь. Такова жизнь - бесконечная череда игр. Воспринимать ее иначе - значит игнорировать самое существенное в ней (ALVES, R., 2001).

## 2 МЕЖДУ ЭТИКОЙ ДОБРОДЕТЕЛИ И ЭТИКОЙ ДОЛГА

Необходимо признать, что в XX веке отношения между врачом и пациентом претерпели существенные изменения. Первая половина прошлого века была отмечена классической моделью добродетельной этики, в которой профессионал, предположительно наделенный неоспоримыми знаниями и призванием, определял правила ухода за больными. Последние, в свою очередь, пассивно подчинялись приказам, навязанным им врачами. Это характеризовало асимметричные, вертикальные межличностные отношения, в которых человек с добродетельным образованием обладал достаточной властью, чтобы навязывать решения другим. Начиная с 1960-х годов пациент стал приобретать статус субъекта, наделенного способностью принимать решения, наиболее подходящие для него, а роль поставщика услуг была закреплена за медицинским работником. Таким образом, этика добродетели перестала превалировать, и на первый план вышла этика долга, направленная на оказание технически правильной помощи. В классической модели добродетельный профессионал обладал моральным совершенством по самой своей природе. Так возник знаменитый афоризм Гиппократа: "Где есть любовь к больным ("*филантропия*"), там есть и любовь к искусству ("*филотехника*")". Таким образом, принцип благодеяния преобладал как выражение естественной практики добродетельной этики. Так понимали в западном мире на протяжении более чем двадцати веков. Для этого достаточно обратиться к клятве Гиппократа, которую по сей день произносят выпускники медицинских вузов, где стремление к нравственному совершенству легко отождествляется с правилами частной морали для врачей: "Клянусь Аполлоном-врачом, Асклепием, Гигеей и Панацеей, а также всеми богами и богинями исполнить (.... по моему разумению клятву(...) Я научу этому своих детей и детей моих наставников и никого другого(...) Если я буду верно исполнять эту клятву, я буду наслаждаться своей жизнью и своим искусством с хорошей репутацией среди людей и навсегда; если же я отойду от нее или нарушу ее, со мной произойдет обратное".

Новая парадигма, с другой стороны, подчиняла профессиональные решения правам пациентов и, следовательно, руководствовалась этикой долга, где автономия пациента превалировала при принятии решений о диагностических и терапевтических подходах к собственному организму, так что стало необходимым признать, что права пациента превалируют над предложениями врачей. Таким образом, были установлены договорные отношения, в которых профессионалы предлагали свои знания и технические навыки, а пациент, получив соответствующую информацию, самостоятельно принимал решения, которые его больше всего удовлетворяли. Этот переход от модели этики добродетели к этике долга еще не был адекватно воспринят участниками этих отношений. Замена патерналистского руководства самостоятельным принятием решений пациентом привела к вторичному эффекту судебного оформления отношений между врачом и пациентом, превратив медицинских работников в поставщиков услуг и, следовательно, в объект юридических требований со стороны пациентов, когда они недовольны качеством предоставляемых услуг. Сводя к минимуму право профессионалов принимать решения, сторонники полной автономии пациента утверждают, что только пациенты получают право принимать решения относительно своего тела. Однако другие считают это новое условие в отношениях между врачом и пациентом неадекватным, поскольку полагают, что у каждого человека, когда он болен, автоматически снижается способность принимать решения, и, прежде всего, считают, что ни один медицинский работник не может передать пациенту всю информацию, необходимую для принятия оптимального решения, которого требует каждая клиническая ситуация. Есть и третья группа, которая предлагает альтернативный способ принятия решений, вдохновленный хабермасовским предложением делиберации, предполагающим уважительный диалог между сторонами в поисках консенсусных решений, максимально разумных и взвешенных. Безусловные защитники полного осуществления автономии пациента в принятии клинических решений понимают, что медицинский работник должен просто предложить техническую информацию, предоставив свои навыки для проведения процедуры, выбранной пациентом. В этом случае специалист будет играть лишь консультативную роль, предлагая все возможные терапевтические альтернативы, чтобы пациент мог принять решение в соответствии с тем, что ему больше подходит. Небезосновательно, эта модель была очень хорошо принята в странах с англосаксонской культурой, где культивируется крайнее уважение к реализации прав личности. В этом сценарии пациент обращается к медицинскому работнику, чтобы получить техническую услугу, и все должно регулироваться договором, в котором прописаны права и обязанности каждой из сторон, участвующих в лечении. В медицинской практике такая модель отношений породила, с одной стороны, непрофессиональные организации, специализирующиеся на выявлении возможных профессиональных ошибок, а с другой - так называемую оборонительную медицину, которая специализируется на составлении контрактов, защищающих профессионалов от возможных судебных исков со стороны пациентов. Очевидно, что этот тупик имеет серьезные последствия для процесса подготовки и получения информированного согласия. Поэтому очевидно, что замена патерналистской модели, вдохновленной Гиппократом, на неограниченное осуществление автономии пациента, недооценка фигуры добродетельного профессионала и принятие договорного соглашения в качестве посреднического элемента между медицинским работником и пациентом привели к тому, что так называемая "*филия* Гиппократа" уступила место сосуществованию моральных чужаков, что Энгельгардт считает реальностью в постмодернистском обществе, где преобладает светская мораль ( ENGELHARDT,T. 1998 ). В патерналистской модели медицинский работник выступал в качестве единственного ответственного за пациента лица, принимая решения и применяя на практике те процедуры, которые он считал наиболее полезными для больного, находящегося под его опекой. Руководствуясь техническими и моральными императивами служения наилучшим интересам пациента, специалист оставлял за собой право принимать решения, основанные на его личных суждениях и компетентности.

Чтобы подчеркнуть возможные недостатки патерналистской и автономистской моделей, мы представим два гипотетических случая принятия решения о гистерэктомии в различных клинических ситуациях, которые, тем не менее, довольно часто встречаются в повседневной работе медицинских работников.

Случай 1. Миссис X, 32 года, замужем, третья беременность, направлена в операционную для проведения кесарева сечения. Во время операции, после извлечения плода, хирург отметил наличие небольшого миоматоза матки, который, по его мнению, был достаточной причиной трудноконтролируемого трансоперационного кровотечения. Учитывая, что супружеская пара, по всей видимости, больше не желает увеличивать свое потомство, врач после быстрой консультации с мужем пациентки принял решение о проведении гистерэктомии.

Случай 2: г-жа Y, 33 года, разведенная, с предыдущим диагнозом "миоматоз матки легкой степени", обратилась к гинекологу, сообщив, что очень страдает от повторяющихся эпизодов предменструального напряжения и длительной метроррагии, и попросила специалиста провести гистерэктомию, чтобы избавить ее от страданий, которые снижают качество жизни. Специалист, хотя и посчитал, что формальных показаний к операции нет, поскольку существуют другие терапевтические альтернативы, согласился с пациенткой и провел вагинальное удаление матки без каких-либо послеоперационных осложнений, что позволило ей досрочно выписаться из больницы. Два года спустя, по совершенно разным причинам, обе пациентки начали выражать желание снова забеременеть. Миссис X - из-за того, что потеряла третьего ребенка, случайно утонув в бассейне дома, где она жила; миссис Y, в свою очередь, установив новые супружеские отношения с молодым вдовцом, стала выражать намерение забеременеть, чтобы выполнить желание своего мужа, который понимал, что наличие ребенка станет необходимым элементом, дополняющим счастье пары. В случае с миссис X принятие решения происходило по патерналистской модели, в то время как в случае с миссис Y врач согласился с ее пожеланиями, даже учитывая, что процедура не соответствовала передовой клинической практике, и, в общем, автономная воля пациента возобладала. В качестве упражнения в рассуждениях давайте рассмотрим новый путь, который предшествовал бы принятию решения и заключался бы в проведении с пациентами того, что мы в клинической биоэтике называем совещательным процессом. В этой модели, которую мы считаем наиболее подходящей, врач и пациент, прежде чем принять решение, устанавливают профессиональный диалог, рассматривая все возможные альтернативы, принимая во внимание все риски и преимущества, связанные с каждым из представленных терапевтических предложений. Это то, что мы можем назвать совместным принятием решений, осуществляемым двумя "друзьями по морали". Хотя мы знаем, что даже после длительного процесса обсуждения, приведшего к принятию решения о гистерэктомии в обоих случаях, окончательные варианты могут оказаться теми же, что и первоначально принятые, необходимо признать, что простое рассмотрение всех возможных альтернатив может привести к другим, более разумным и взвешенным решениям. Например, если бы у миссис X была возможность должным образом оценить и высказать свое мнение о показаниях к гистерэктомии, разве не кажется разумным предположить, что она могла бы предпочесть сохранить свой орган? А что касается миссис Y, если бы ей были представлены другие предложения по консервативному лечению, без принуждения и с большей убедительностью со стороны специалиста, разве не разумно предположить, что она могла бы их принять? Независимо от ответов на поставленные выше вопросы, несомненно одно: диалог, который ведется с уважением и исчерпывающе, чтобы у всех участников дела не оставалось никаких сомнений, представляется наиболее подходящим путем для принятия наиболее разумных и взвешенных решений. Именно такая модель предлагается биоэтикой для принятия клинических решений с учетом фактов, полученных в результате научных исследований, и человеческих ценностей, поскольку одной лишь доказательной медицины недостаточно для того, чтобы определять инстанцию **"должен"**, которая занимает высшую ступень морального долга. С другой стороны, правильное применение формы информированного согласия в клинической практике является для нас относительно новым. Мы можем без опасений сказать, что, особенно в Бразилии, нередко инвазивные диагностические процедуры и даже серьезные операции проводятся без должного информирования пациентов. Нередко во время обычной консультации в кардиологическом амбулаторном отделении университетской больницы лечащий врач, столкнувшись с пациентом со срединным торакотомным рубцом, на вопрос о типе проведенного хирургического вмешательства получает от пациента краткий ответ: "Мне заменили клапан в сердце". На вопрос о модели и положении используемого протеза ответ часто звучит как: "Я не знаю, врач мне не сказал". Получение информированного согласия в клинике, хотя и является обязательной процедурой, всегда должно осуществляться путем грамотного и просветительского диалога, чтобы уважать личное достоинство пациента. Современное общество требует от медицинских работников признания компетентности пациентов в принятии решений относительно диагностических и терапевтических процедур, проводимых на их собственном теле. К сожалению, до сих пор нередко встречаются мнения профессионалов, которые считают скромных, малообразованных людей неспособными понять объяснения по поводу медицинских процедур. Они не умеют или даже не пытаются по-настоящему общаться с человеком, который, лишенный самых элементарных прав гражданина, молча склоняется перед авторитарным отношением профессионала. Кто из медицинских работников не слышал о случае, когда пациент-диабетик с обструктивным заболеванием периферических артерий, обратившись к сосудистому хирургу за разъяснениями по поводу показаний к ампутации ноги, получил лаконичный ответ: "Пожалуйста, поймите, что я учился более двадцати лет, чтобы знать все детали этой операции, так что будьте уверены и предоставьте мне знать, что будет лучше для вас!"

Однако следует учитывать, что если патерналистское поведение специалиста, не признающего за пациентом права принимать решения о процедурах, проводимых на его собственном теле, достойно осуждения, то "пилатовская позиция" врача, который просто перекладывает все решения на плечи пациента, не наладив предварительного разъяснительного диалога, не менее безответственна. Медицинские работники должны осознать, что согласие пациента на любую процедуру будет иметь моральную поддержку только в том случае, если ему предшествует уважительный и просветительский диалог обо всех рисках и преимуществах предлагаемых медицинских показаний. Кроме того, предоставление информации пациенту, помимо того, что осуществляется в интерактивной форме, предполагает наличие у врача достаточных знаний о биографии пациента. Современная медицина живет в условиях значительного роста числа хронических заболеваний и множества диагностических и терапевтических возможностей, каждая из которых имеет свои риски и преимущества, что делает процесс принятия решений очень сложным. Между патерналистским отношением профессионала и принятием решения недостаточно информированным пациентом лежит благоразумие в поиске наилучших и наиболее разумных альтернатив, выявленных обоими в процессе обсуждения. Изначально задуманная как инструмент, позволяющий пациентам делать свободный и самостоятельный выбор, в настоящее время существует неадекватная практика рассмотрения формы согласия как формальной процедуры получения документа, обеспечивающего медицинским работникам юридическую защиту от возможных судебных исков со стороны пациентов или их семей. Помимо предоставления достаточной и понятной информации, врачи не должны допускать, чтобы давление со стороны членов семьи определяло клинические решения, отвечающие ожиданиям, не связанным с интересами самого пациента. С другой стороны, стратегия предоставления неполной информации пациентам с целью облегчить и ускорить принятие ими диагностических или терапевтических решений, которые с научной точки зрения считаются более предпочтительными с точки зрения врача, является морально несостоятельной. Этот предосудительный вид манипуляций практикуют и члены семьи, которые хотят, чтобы последнее слово в вопросе лечения их больных родственников оставалось за ними. Известный как "пакт молчания", соглашение между медицинскими работниками и членами семьи с целью сокрытия от пациента информации, которая априори считается вредной для эмоционального равновесия больного, до сих пор является распространенной практикой. Некоторые специалисты называют ее благочестивой ложью. Однако следует помнить, что ложь неизменно вредит пациенту, который, лишенный возможности выражать свои самостоятельные решения, чувствует себя неуважаемым и низведенным до морального состояния недееспособности. Очевидно, что специалист должен быть обучен сообщать пациенту хорошие новости, а для этого он должен руководствоваться протоколами, установленными в медицинской литературе. Многие медицинские вузы уже включили в свои учебные программы семинары, позволяющие студентам сообщать лучшие новости. Хотя некоторые специалисты до сих пор считают использование благочестивой лжи оправданным, мы еще далеки от того, чтобы принять совет Грегорио Маранона, который в 1940-х годах учил своих студентов, что: *"Врач, таким образом, должен лгать, и не только из милосердия, но и во имя здоровья! Как часто неточность, намеренно заложенная в сознание больного, приносит ему больше пользы, чем все лекарства в фармакопее!"* (МАРАНОН, Ж., 1947)

Пациент просит не о благочестивой лжи, а о благочестивых путях приближения к истине. Важно также помнить, что дорожная карта в стремлении узнать правду сильно отличается у разных людей и в разные периоды их жизни. Любая болезнь порождает разную степень личной неуверенности и воздвигает барьеры на пути к ясности, и медицинский работник не может их не распознать. И благочестивая ложь, и несвоевременная правда, открытая пациенту, свидетельствуют лишь о неготовности специалиста к установлению уважительной интерсубъективной связи с пациентом. Таким образом, поток информации в отношениях между врачом и пациентом должен быть подчинен уважению к наиболее уязвимым и материализоваться в актах лояльности и подлинного партнерства, а для этого нет иного пути, кроме постоянного осуществления совещательного процесса при принятии клинических решений. Важно подчеркнуть, что пациент сам определяет форму, темпы и границы раскрытия информации о своей болезни, а специалист должен внимательно относиться к сомнениям и неуверенности пациента и его семьи. Такая практика должна осуществляться с достаточным запасом времени для постоянной переоценки всех принятых ранее решений и, по возможности, должна осуществляться на основе консенсуса. Однако существуют особые ситуации, которые не позволяют пройти все этапы этого процесса, - это ситуации, связанные с неотложной помощью, когда необходимо быстро установить особый уход для поддержания жизненных функций больного. Аналогичным образом, помощь, оказываемая некоторыми специалистами в экстренных ситуациях, такими как анестезиологи и интенсивисты, у которых практически никогда не хватает времени на поддержание диалога с пациентом. Наконец, необходимо рассмотреть еще одну ситуацию, когда пациент, без какого-либо внешнего принуждения, спонтанно решает передать ответственность за принятие решений медицинскому работнику. Такое делегирование полномочий не должно рассматриваться как потеря самостоятельности со стороны пациента. Следует также обратить внимание на особые обстоятельства, при которых необходимо позволить людям, более знакомым с моральными ценностями или убеждениями пациента, например, этнического, религиозного или культурного характера, принять участие в процессе принятия решения при условии явного согласия самих пациентов. Медицинские работники не должны противодействовать такому участию. Одним словом, отношения между врачом и пациентом должны строиться на основе уникального диалога, который начинается с личного рассказа пациента о своих страданиях, затем следует активное выслушивание, тщательное физикальное обследование и завершается принятием диагностических и терапевтических решений, основанных не только на канонах доказательной медицины, но и с учетом совокупности моральных ценностей пациента. Это не может быть встреча техника с больным телом, это скорее встреча двух людей, которые, несмотря на разные биографии, признают друг друга "нравственными друзьями", культивирующими взаимное уважение.

# 3 КРАТКОЕ РАЗМЫШЛЕНИЕ О ФОРМИРУЮЩЕЙСЯ ПАРАДИГМЕ

Размышления об искусстве оказания медицинской помощи крайне важны, особенно для того, чтобы соответствовать новым условиям, возникающим при переходе от картезианской модели к принятию клинических решений на основе диалогической этики. Осмысление роли каждого из персонажей, медицинского работника и пациента, в этом новом сценарии - необходимая задача для успешного оказания медицинской помощи. Слово "лечение" происходит от греческого *"therapeia"* и означает "услуга". Таким образом, искусство лечения выражается в услуге, которую медицинский работник оказывает пациенту. Модель, которую необходимо преодолеть, сосредоточена на лечении болезни; новая парадигма фокусируется на заботе о пациенте в целом, считая, что болезнь не ограничивается страданием какого-либо органа, а скорее является общим страданием человека. На медицинских курсах продолжают готовить специалистов по лечению болезней людей, в то время как общество требует профессионалов, которые признают, что любая болезнь, поражающая человека, проявляется в его биопсихосоциальной и духовной совокупности. Болезнь должна восприниматься как состояние дисбаланса в здоровье человека, а истинное искусство заботы направлено на восстановление утраченного баланса.

Рене Декарт, как говорят, однажды сказал, что для построения Вселенной ему достаточно получить данные о смещениях и скоростях небесных тел. Современная физика после открытия принципа неопределенности Гейзенберга и теории относительности Эйнштейна окончательно похоронила механистический тезис, который стремился объяснить все наблюдаемые наукой явления прагматическим способом на основе логико-математических знаний. В области здоровья картезианство свело человека к набору биологических переменных, разделенных на системы и аппараты: кровеносную, дыхательную, пищеварительную, неврологическую, репродуктивную и т. д. Достижения нейронауки открыли существование нейротрансмиттеров, рецепторов, которые через химические мессенджеры способствуют взаимодействию между нервной, иммунной и гормональной системами, показывая, что человек гораздо сложнее, чем нагромождение соединенных друг с другом органов.

Для того чтобы лучше понять эту новую реальность, необходимо обратиться к теории сложности Эдгара Морина (MORIN,E, 1995). Поэтому работники здравоохранения должны отказаться от картезианского увеличительного стекла и понять, что они всегда будут сталкиваться с новой задачей - признать человека "homo systemus", который видит свои личные границы, проходящие через многочисленные взаимодействия с другими "homo systemus", в огромном разнообразии социальной среды, событий, выбора, потерь и отказов, и что и здоровье, и болезнь - это ситуации, которые будут оставаться непонятыми, пока все эти переменные не будут интегрированы.

Ханс-Георг Гадамер, профессор герменевтики Франкфуртского университета, обратил внимание на значение слова *sprechstunde,* состоящего из *sprechen* (*говорить*) и *stunde* (время). По его мнению, акт заботы, содержащийся во встрече медицинского работника и пациента, должен руководствоваться императивом "время говорить": *"Нарушение здоровья - это то, что делает необходимым лечение. Частью лечения является диалог. Диалог способствует гуманизации отношений между [специалистом] и пациентом. Такие неравные отношения относятся к самым сложным задачам, [которые необходимо решать] между людьми (...) Слово диалог уже подразумевает разговор с кем-то, [кто] отвечает своему собеседнику (...) В любом случае, в области медицины диалог - это не просто вступление и подготовка к лечению, это уже лечение".* (GADAMER, H.G., 2006). Любопытно, что новая парадигма, предложенная для этого тысячелетия, хранящего самые сложные достижения в области технонауки, которые человечество когда-либо знало в своей истории, носит простое название "**диалог**". После восхваления такого количества герметичных знаний нам нужно подготовиться к тому, чтобы говорить и слушать. В этом отношении нет лучшего способа, чем вернуться к модели сократовской *маевтики*, которая использует диалог как инструмент поиска истины. Чтобы проиллюстрировать этот путь, вернемся к очень актуальному диалогу между Сократом и Федоном на тему риторики и врачебного искусства:

- *Сократ:* Мы приступаем к риторике, как к врачебному искусству.

- Почему?

- *Сократ:* И в том, и в другом случае ты должен разрушить природу, тело, с одной стороны, и душу, с другой, если хочешь, не просто обычным способом и на основе простой рутины, но с искусством и силой, используя лекарства и питание, и, в случае риторики, передать добродетель и убеждения, которые ты хочешь, с помощью хороших советов и священных обычаев.

- *Федон: Видимо,* да, Сократ.

- *Сократ:* Веришь *ли* ты, что можно правильно понять природу души, не понимая всей природы?

- *Федон:* Если верить Гиппократу Асклепию, без такой процедуры мы не сможем даже понять природу тела. (ПЛАТО, 1972)

Не менее важно извлечь уроки из стихов Т.С. Элиота. Разделенные во времени двадцатью четырьмя столетиями, философ и поэт учат нас, что для того, чтобы хорошо владеть искусством ухода, необходимо с проницательностью и мудростью вернуться к своим истокам, потому что, только встретив больного человека с сочувствием, мы узнаем, как правильно вести свои профессиональные действия:

*"Мы никогда не перестанем эксплуатировать*

*И в конце всех наших изысканий*

*Это будет путь к отправной точке*

*И это место по-прежнему узнаваемо.*

*Как и в первый раз, когда мы его увидели.*

*Через неизвестную, запомненную дверь*

*Когда последняя частичка земли*

*Осталось только открыть для себя*

*Это было начало*

*На склонах самой длинной реки*

*Голос скрытого водопада (...)*

*Спешите сейчас, здесь, сейчас, всегда*

*Состояние абсолютной простоты (...)"* (Т.С.ЭЛИОТ, 1981)

**Ссылки**

ALVES, R. *Entre a Ciencia e a Sapiencia: o dilema da educagao.* Sao Paulo: Loyola, 2001

АЛВЕС, Р. *Врач.* Кампинас: Папирус, 2003 BOFF, L. *Saber Cuidar.* Sao Paulo: Vozes, 1999 a     . *Etica da Vida.* Бразилиа : Letraviva, 1999 b     . *Принцип сострадания и заботы.* Петрополис: Vozes, 2001 CIRET-UNESCO. *Какой университет завтра? В поисках трансдисциплинарной эволюции университета.* Локарно: Сирет-Унеско, 1997 DESCARTES, R. *Discurso del Metodo.* Mexico: Parrua, 1984

ENGELHARDT , T. *Fundamentos de Bioetica.* Sao Paulo : Loyola, 1998

ENTRALGO, P.L. *La relacion medico-enfermo.* Мадрид : Alianza Editorial, 1983

------------------ . *Наука, технология и медицина.* Мадрид: Alianza Editorial,1986

------------------ . *Бытие и поведение человека.* Madrid: Espasa,1996 FOUCAULT, M. *O Nascimento da Clinica.* Rio de Janeiro: Forense Universitaria, 1998

ГАДАМЕР, Г. Г. *Скрытая природа здоровья.* Петрополис: Возы, 2006

GAILLARD, J.R. *O medico do futuro: para uma nova logica medica.* Лиссабон: Институт Пиаже, 1995

Лоун, Б. *Утраченное искусство исцеления.* Сан-Паулу: JSN Editora, 1997

MARANON, G. *Vocation y Etica y otros ensayos.* Madrid : Espasa Calpe,1947

MARCUSE, H. *One dimensional man: studies in the ideology of advanced industrial society.* Boston: Бикон, 1964

МОРИН,Е. *Введение в комплексное мышление.* Лиссабон: Институт Пиаже, 1995 г. МЕДИКИ И ЗДОРОВЬЕ В БРАЗИЛИИ, Федеральный совет по медицине, Бразилиа, 1998 г.

PERFIL DOS MEDICOS NO BRASIL, vol.IV. Рио-де-Жанейро, Fiocruz/CFM/MS/PNUD, 1996

*Коллекция* PLATO *Мыслители, том III.* Сан-Паулу : Абриль, 1972

RIEFF, P. *O triunfo da terapeutica.* Sao Paulo : Editora Brasiliense, 1990

ROZENMAN, Y. *Куда делась старая добрая клиническая диагностика?* New Engl J Med, 336:1435-1438, 1997

ШЕФФЕР, М. *Медицинская демография в Бразилии.* Бразилиа : Федеральный совет по медицине, 2018

МЕЖДУНАРОДНЫЙ СЕМИНАР ПО МЕДИЦИНСКОЙ ПРОФЕССИИ. Федеральный совет по медицине, Бразилиа, 1997 г.

SFEZ,L. *A saúde perfeita: cntica de uma nova utopia .*Sao Paulo : Loyola,1996

SIQUEIRA,J.E. *Etica e Tecnociencia: uma abordagem segundo o Principio de Responsabilidade de Hans Jonas.* Londrina :EDUEL,1998

---------------- . *Образование по биоэтике в медицинской школе* Мир здоровья, год 29, т. 29, № 3, июль/сентябрь, 402-410, 2005

Т.С.Элиота *Поэзия.* Рио-де-Жанейро : Нова Фронтейра, 1981

# 4 СОВРЕМЕННОСТЬ И ВОЗНИКНОВЕНИЕ ПРИКЛАДНОЙ ЭТИКИ

*"Задача биоэтики будущего состоит в том, что мы обладаем большими технологическими знаниями, чем когда-либо прежде, но не знаем, как их использовать, а кризис нашего века заключается в том, что мы обрели неожиданную силу и должны использовать ее в хаосе посттрадиционного, посткритического и постмодернистского мира".* (ENGELHARDT, T., 1998)

Традиционные этические модели, господствовавшие до XIX века, характеризовались акцентом на человеческих поступках, отвечающих кантовскому категорическому императиву. Поиск универсализации моральных поступков, совершаемых мужчинами и женщинами, живущими в сообществах, неоднородных по своим обычаям, сделал почти невозможным представить императив человеческого разума, который мог бы помыслить условие универсальности, предложенное Иммануилом Кантом (KANT, I., 1985). Потребовались две мировые войны, чтобы мы поняли суровую реальность, описанную Фрейдом как "драйв смерти", психологическое состояние, которое, по его словам, наделяло человеческие существа непонятными желаниями самоуничтожения, которые экстернализировались через гетеро-деструкцию. Таким образом, было бы неразумно приписывать универсальную моральную ценность всем человеческим поступкам, поскольку многие из них представляли бы собой экстернализацию импульса к уничтожению других в качестве замены желания к собственному самоуничтожению (FREUD, S., 1981).

Точно так же до XIX века природа обладала реальной нормативной силой, а свобода человека была полностью подчинена естественному и неизменному горизонту. Со второй половины XX века мы стали замечать, что *научно-технический* прогресс приобретает черты почти неограниченной власти по преобразованию человеческой и внечеловеческой природы, полностью подчиняя *homo-sapiens homofaber*. С другой стороны, отношения между технологией и наукой стали доминирующими, и продукт этого союза - технонаука - приобрел необычайную силу, породив достижения, которые обрели такую автономию, что стало излишним подвергать их какому-либо этическому суждению. Уже в знаменитой лекции о кризисе европейской науки и трансцендентальной феноменологии Гуссерль выявил наличие "слепой дыры" в научном объективизме, которую он тогда назвал *"пустотой сознания в себе"*. (HUSSERL, E., 1994)

С того момента, как, с одной стороны, произошел разрыв между человеческой субъективностью (оставленной для психологии и философии) и объективностью знания (считавшейся исключительной территорией науки), разработка изысканных технологий для раскрытия тайн природы стала считаться привилегированной. Это состояние было подвергнуто критике Морином, который определил его как *"незнание экологии действия"* (MORIN, E., 1993), поскольку с момента начала процесса поиска знаний контроль над последующими действиями выходит за пределы контроля исследователя и начинает осуществляться агентами вне сферы науки, которые начинают определять цели, отличные от первоначально задуманных. Перечислять примеры такого отклонения было бы бесполезно, достаточно вспомнить, что знания, полученные благодаря энергии, выделяющейся при делении ядер, наряду с другими благородными научными инициативами, позволили создать атомные бомбы, сброшенные на Хиросиму и Нагадзаки.

С другой стороны, важно признать, что основы современной науки уходят корнями в XVII век, к Рене Декарту и Фрэнсису Бэкону, которые подчеркивали оперативную силу науки. В книге "О развитии наук", первоначально опубликованной в 1603 году, незадолго до своей смерти, Бэкон призывал людей объединить усилия, *чтобы "господствовать над природой, взять штурмом и занять ее замки и дворцы"*. (БЭКОН, Ф., 1999). Научные деятели сделали все возможное, чтобы откликнуться на предложение Бэкона. Тогда была создана новая модель сотрудничества между техникой и наукой, в соответствии с которой любое научное исследование осуществлялось через интимный диалог между поиском знаний и их практическим применением, между теорией и использованием порожденного ею продукта.

По этому поводу Поппер размышлял так:

*"История науки, как и история всех человеческих идей, - это история безответственных мечтаний, упрямства и ошибок. Однако наука - один из редких видов человеческой деятельности, возможно, единственный, в котором ошибки систематически указываются и со временем постоянно исправляются".* (ПОППЕР, К. 1972)

В XX веке мы пришли к пониманию того, что перед лицом возможности нанесения ущерба человеческой и внечеловеческой природе в результате технонаучного прогресса необходимо, чтобы одновременно с получением новых знаний наука приветствовала необходимый и благоразумный вклад этических соображений о ценностях, которые важны для жизни. Не было недостатка в таких мыслителях, как Ральф Лапп, которого цитирует Элвин Тоффлер в книге "Шок будущего", считавших необходимым сдерживать неконтролируемое развитие технонауки.

Лапп использовал следующую метафору:

*"Мы находимся в поезде, который постоянно набирает скорость и мчится по рельсам, где бесчисленное множество рулевых устройств ведут в неизвестные направления. В кабине нет ни одного ученого, а в пульте управления, возможно, сидят демоны. Большая часть общества находится на последнем сиденье и смотрит назад.* (TOFFLER, A. 1973)

Более вдумчивым был сам Тоффлер, который считал, что отворачиваться от технологий было бы наивно и неразумно. По его мнению, важно определить эффективную стратегию, чтобы избежать того, что он назвал "шоком будущего". Жильбер Хоттуа, бельгийский биоэтик, также считает, что *"как обскурантистское неприятие, так и безрассудное прославление технонауки может нанести вред качеству жизни будущих поколений"*. Важно учитывать, что только люди способны изменить ход истории своими действиями и выбором, которые должны быть подвергнуты тщательному этическому осмыслению. Эта ответственность налагает на каждого человека - особенно на ученых, занимающихся производством знаний, - обязанности, учитывающие сохранение человеческого существования в его подлинной форме. Эта обязанность становится значительно более значительной, если учесть силу преобразований и наше осознание всего возможного ущерба, наносимого непродуманными действиями (HOTTOIS, G. 1991).

Важно учитывать, что только человек способен своими действиями изменить ход истории. На развилке дорог только у человека есть выбор. Маршруты могут быть разными, как и конечный пункт назначения, ведь путь может закончиться у пропасти или у источника чистой воды. Именно в таких точках бифуркации и возникает вопрос выбора, который будет уместен только в том случае, если он осуществляется в рамках междисциплинарного диалогового процесса с участием представителей всех областей знаний. Эта ответственность налагает на всех ученых, участвующих в производстве знаний, обязательства, учитывающие сохранение человеческого существования в его наиболее аутентичной форме. Эта обязанность значительно возрастает благодаря силе трансформации и осознанию всего возможного ущерба, наносимого непродуманными действиями. Сохранение жизни в ее полноте - условие выживания человечества, и именно в контексте этой солидарной судьбы Ганс Йонас, автор "Принципа ответственности", говорит о достоинстве природы. Сохранение природы, по мнению Йонаса, означает сохранение жизни в ее самом подлинном выражении (JONAS, H. 1995).

В этом же ключе мы выделяем предупреждающий крик Эдгара Морина и Анны Бриджит Керн, описанный в их книге "Terra-patria":

*"Вот плохие новости: мы потеряны, потеряны безвозвратно. Мы потеряны, но у нас есть крыша над головой, дом, родина. Это наша родина, место нашей судьбы, жизни и смерти. Евангелие потерянных людей говорит нам, что мы должны быть братьями не потому, что мы спасемся, а потому, что мы потеряны".* (MORIN, E. KERN, A.B, 1995).

Кроме того, хорошо известны пагубные последствия для здоровья людей, вызванные ухудшением состояния окружающей среды. Будущее может и не осуществиться, но оно свидетельствует о себе в настоящем, как характеристика несчастья, перспектива нежелательного, которая красноречиво показывает нам необходимость разработки нового устава ответственности, направленного на сохранение жизни человека и планеты.

Илья Пригожин, лауреат Нобелевской премии по химии, в своей книге "Конец определенности" также читает лекцию о необходимости диалога между наукой и природой. Автор считает, что "понимание" не может означать "управление", потому что:

*"Хозяин, который считает, что знает своих рабов только потому, что они подчиняются его приказам, слеп [...]. Ни одна [научная] спекуляция, ни одно знание никогда не утверждало эквивалентности между тем, что сделано, и тем, что не сделано, между растением, которое рождается, расцветает и умирает, и растением, которое воскресает, омолаживается и возвращается к своему первобытному семени, между человеком, который взрослеет и учится, и [ тем], кто постепенно становится ребенком, затем эмбрионом, затем клеткой".* (PRIGOGINE, I., 1996).

С другой стороны, важно признать, что нынешние опасения по поводу экологического дисбаланса также обусловлены практически отсутствующей системой экологического учета. Принятая во всем мире система оценки экономического прогресса страны, так называемый валовой внутренний продукт (ВВП), не учитывает обесценивание "природного капитала", например, потерю плодородных почв в результате эрозии, неизбирательное использование агрохимикатов или вырубку лесов.

Джоване Берлингуэр, итальянский биоэтик, в своей книге "Вопросы жизни: Этика, наука и здоровье", выразил свое возмущение неконтролируемым галопом технонауки: *"Скорость, с которой мы переходим от чистых исследований к прикладным, сейчас настолько высока, что постоянное, даже кратковременное, сохранение ошибок или мошенничества может привести к катастрофам".* (BERLINGUER, G., 1993)

В книге *"Глобальная биоэтика: опираясь на наследие Леопольда"* Ван Ренселлаер Поттер, создатель неологизма *"биоэтика",* затронул вопрос об ответственности в поиске знаний. Обращаясь конкретно к ученым, он рекомендовал им *"думать о биоэтике как о новой этике науки, которая сочетает в себе смирение, ответственность и компетентность, которая является междисциплинарной и межкультурной и раскрывает истинное чувство человечности".* (POTTER, V.R., 1988).

В XX веке мы стали свидетелями бесчисленных несчастий - достаточно вспомнить человеческие жертвы, понесенные в двух великих войнах, и деградацию окружающей среды. Какие пути привели нас к потере чувства общности и к доминированию упрямого и безответственного индивидуализма? Возможно, из-за того, что мы выбрали правила "изолированного Я", чтобы представить превосходство части над целым, мы сняли с себя всю ответственность за понимание и решение проблем человеческого сообщества. Амартия Сен назвал самым обманчивым девизом постмодернистской рефлексии тот факт, что мы посчитали, будто предполагаемые достоинства регулирующих механизмов свободного рынка оказались настолько очевидными, что не требуют этического осмысления для оценки их социальных последствий. Автор приходит к выводу, что капитализм, пытаясь с несравненным богатством деталей показать, что научно обоснованная экономика всегда должна колебаться в зависимости от рынка, ставил перед собой цель не защиты демократии, а свободы движения крупного международного капитала, которая, как показали последние события, привела лишь к огромному росту социального неравенства (SEN, A. 2011).

Совсем недавно французский экономист Томас Пикетти опубликовал книгу "Капитал в XXI веке", ставшую результатом пятнадцатилетнего исследования эволюции экономической политики в двадцати странах за последние двести лет. В заключении этого исследования автор утверждает, что *"общая связь моего исследования заключается в том, что динамичная эволюция рыночной экономики и экономики частной собственности, предоставленная самой себе, содержит важные силы конвергенции, связанные прежде всего с распространением знаний и квалификации, но также и силы энергичного расхождения, которые потенциально угрожают нашим демократическим обществам и ценностям социальной справедливости, на которых они основаны"* (PIKETTY, T., 2014).

Недооценка ценности человеческого достоинства в сочетании с хроническими проблемами, такими как голод, бедность, антисанитария и безработица, позволила насилию развиваться на всех уровнях общества, от бытового до коммунального. Это беспокойство стимулировало большое количество научных работ, направленных на создание моделей, восстанавливающих идеалы солидарности и мира, с таким трудом завоеванные современными демократиями. Адела Кортина, как и другие авторы, восстанавливает кантовскую универсалистскую модель и дискурсивную этику Хабермаса, чтобы предложить построить общество, которое позволит существовать минимальным уровням справедливости, присутствующим в глобальном обществе. Он подчеркивает, что эти минимальные уровни появятся не в рамках либеральной политической традиции, а благодаря инициативам, способствующим социальной интеграции. Она предупреждает, что несправедливый мир, недооценивающий солидарность и основные права человека, не отвечает минимальным условиям для гармоничного социального сосуществования, что будет способствовать возникновению фундаменталистских движений, которые попытаются воскресить старые тоталитарные режимы, и отказу от демократических завоеваний, с таким трудом завоеванных западной цивилизацией. По мнению автора, только преодоление индивидуализма, непотизма и режимов исключения, отмена границ между странами и укрепление солидарности между народами позволят достичь социального мира. (CORTINA,A 2001) Среди нас Шрамм и Коттоу (SCHRAMM,F.R. KOTTOW,M. 2001), Гаррафа и Порто (GARRAFA,V; PORTO,D. 2003), соответственно, предложили "биоэтику защиты" и "биоэтику вмешательства", которые отводят государству роль протагониста в инициативах, направленных на проведение политики социальной интеграции и социально-политических преобразований с целью эмансипации отверженных. Учитывая эти постулаты, возникает вопрос: способны ли западные представительные демократии осуществить эти преобразования? Напротив, на глобальном уровне мы видим, что уровень крайней бедности, нездоровья, незащищенности, отсутствия доступа к продовольствию и услугам растет. Образование и здравоохранение - обстоятельства, которые только увеличивают и без того огромное число социальных изгоев. С другой стороны, по мнению Амартия Сена, ограничение понятия бедности простым условием недостаточного личного дохода было бы неприемлемым редукционизмом (SEN.A, 1999), и он считает, что единственный путь к подлинному развитию гражданственности лежит через эмансипацию социально маргинализированных слоев населения.

Отсутствие ориентиров, кризис легитимности государства и рост институциональных вакуумов, занятых организованной преступностью, лишь усилили экзистенциальное разочарование людей, которые, охваченные страхом, теряют чувство идентичности из-за отсутствия адекватной социальной поддержки. Таким образом, мы оказываемся в глобализированном обществе со значительным технологическим прогрессом, где небольшое число людей с огромными состояниями живет вместе с огромным контингентом несчастных людей, что некоторые авторы называют "обнищанием обогащения" *постмодерна*. Личная идентичность, которая должна гармонично выстраиваться в богатстве культурного разнообразия, заменяется жалкой логикой "изолированного я", как описал ее Аллан Блум, говоря об американской молодежи:

*"Неопределенное будущее и отсутствие связующего прошлого означают, что душа молодых людей находится в состоянии, подобном состоянию первых людей, - духовно обнаженная, не связанная, отдельная, без наследственных или безусловных отношений с чем-либо или кем-либо. Они могут быть кем угодно, но у них нет никаких особых причин быть кем-то конкретным".* (БЛУМ А., 1989)

В результате этой настоящей тирании "Я" Другой начинает восприниматься как чужеродный элемент, который нужно не уважать, нарушать и исключать, что делает физическое уничтожение Другого все более обычным явлением в крупных городских центрах. Ярким примером этой безумной жестокости стало убийство лидера коренного народа патаксо Галдино дос Сантоса. Призванный представлять свою общину на собрании FUNAI, Галдино, не имея места для ночлега, уснул на скамейке на автобусной остановке в Бразилиа. Пока он спал, пятеро молодых людей из среднего класса вымочили его тело в спирте и подожгли. С ожогами третьей степени, поразившими 90 % его тела, лидер коренного населения умер. В заявлении, опубликованном в издании Correio Braziliense от 21 апреля 1997 года, один из молодых людей оправдывал свой преступный поступок: *"Это была просто шутка! Мы не знали, что это медиум, мы думали, что это какой-то попрошайка".* (CORREIO BRAZILIENSE, 1997). Случай Галдино заставляет нас задуматься о подлинности столь желанного чувства солидарности, приписываемого большинству бразильских граждан, поскольку многие из них пассивно наблюдают за столь явной практикой тривиализации зла. Это свидетельство показывает, что молодые нападавшие могли бы не совершить преступление, если бы заранее знали, что жертва - вождь коренного народа, поскольку нападение было направлено на бездомного. Говоря об этом преступлении, Эндо ссылается на исследование, проведенное ЮНЕСКО в Бразилиа, которое показало, что в восприятии опрошенных молодых людей из среднего класса унижение трансвеститов, проституток и гомосексуалистов было менее серьезным, чем граффити на общественных зданиях, разрушение фонарей или дорожных знаков. Кроме того, более 20 % из них считают неоправданным назначение какого-либо наказания за свое поведение, связанное с жестоким обращением с этими людьми. Однако люди, придерживающиеся подобных взглядов, должны быть наказаны за публичное проявление общественно порицаемых взглядов (ENDO, P., 2005).

В то время, когда экономическая глобализация разрушает все национальные границы, мир живет в условиях невыносимого уровня бедности, голода и жесточайшего нарушения прав человека. Только взгляните на беззаконное обращение с тысячами сирийских беженцев, которые, спасаясь от войны, ищут убежища в странах Западной Европы. Задача воссоздания этики ответственной солидарности для "гуманизации человечества" как никогда актуальна. Именно на фоне этого разочарования возникла прикладная этика, в том числе биоэтика, которая занимается тем, что предлагает размышления, направленные на поиск жизнеспособных альтернативных решений моральных конфликтов, возникающих в этой ситуации социального хаоса.

# 5 ТЕМА ОТВЕТСТВЕННОСТИ В ПРЕДСТАВЛЕНИИ СОВРЕМЕННЫХ МЫСЛИТЕЛЕЙ

В работе "Политика как призвание" Макс Вебер проводит различие между "этикой убеждения" и "этикой ответственности", считая, что в случае первой цель оправдывает средства всех человеческих действий (предположение, отстаиваемое марксистскими мыслителями), а в случае второй возрождается кантовская традиция универсализации моральных действий. Вебер делает следующие замечания по поводу этих двух моделей:

1. Человеческая жизнь включает в себя различные области, где существует напряжение между моралью, политикой и религией, которые он признавал источниками неразрешимых конфликтов, и что благоразумным отношением было бы принять их естественным образом, и что никому не может быть дано право использовать позицию превосходства, чтобы навязать свои личные убеждения другим.

2. Все люди должны нести ответственность за предсказуемые последствия своих действий. В этой связи он выдвигает свою точку зрения, согласно которой, когда последствия поступка, совершенного из чистого убеждения, оказываются неприятными, сторонник такой этической модели будет считать виновным не совершившего его агента, а другие случайные переменные, такие как "*мир, глупость людей или воля Бога, который создал людей такими*". С другой стороны, сторонники этики ответственности считают, что ответственность за совершенные поступки лежит исключительно на том, кто их совершил, и неразумно перекладывать вредные последствия собственных действий на других.

3. Этика ответственности предполагает, что средства должны соответствовать достигаемым целям и что не может быть альтруистических целей, которые оправдывали бы использование средств, несовместимых с реализацией подлинных целей (WEBER, M.1980).

Так, в работе "Эссе об аксиологическом нейтралитете в социологических и экономических науках", опубликованной в 1917 году, Макс Вебер проводит различие между получением фактов, добытых наукой, и возможными ценностными оценками, вытекающими из них. В то время внимание академического сообщества привлекал вопрос о "свободе профессорства" - условии, предоставляющем профессорам полную свободу высказывать личные суждения по вопросам, относящимся к их области знаний. Вебер, однако, утверждал, что любые аргументы, способные обосновать превосходство конкретной точки зрения какого-либо профессора над теми, которые отстаивают другие мыслители, были бы несоразмерны в вопросах политики и социального сосуществования. Он считал аморальным использование преподавателями своего иерархического положения для влияния на студентов или даже их индоктринации. В то же время немецкая интеллигенция увлеченно обсуждала теоретические вопросы социальных наук, и между теми, кто отстаивал принятие в этой области знания тех же методологических строгостей, что и в исследованиях, проводимых в области естественных наук, которые носили ярко выраженный количественный характер, разгорелся настоящий спор. С другой стороны, другие мыслители считали необходимым включить в эту область исследований субъективные ценности, а не только факты, полученные в результате экспериментов, проводимых в области точных наук. Важно учитывать, что производство знаний до первой половины XX века находилось под сильным влиянием позитивистской философии, предложенной Огюстом Комтом, который рассматривал социологию как область науки, способную объяснить социальные явления абсолютно рациональным образом. Отказавшись от учета субъективных ценностей, он ограничил социологические исследования простой задачей чистого описания социальных явлений, что сделало диалог между наукой и философией практически невозможным. Долгое время производство знания происходило именно таким образом, на ограниченной аналитической и количественной территории, что ставило качественные исследования в едва респектабельную область академических инициатив сомнительной научной ценности. Однако Макс Вебер не считал несовместимым одновременное принятие количественных и качественных параметров в научном исследовании.

В работе "Протестантская этика и дух капитализма", первоначально опубликованной в 1905 году, Вебер изучил самые разные модели поведения людей, которые сближали протестантскую этику и рационализм, присутствующий в капитализме постиндустриальной эпохи. В то время было принято сравнивать представления о ценностях, которые различали поведение католиков и протестантов: первые недооценивали прибыльную деятельность в рамках бизнес-модели, а протестанты занимали противоположные позиции, которые Вебер определил как *"поиск радости жизни". По мнению* автора, это представление не было частью изначального послания лютеранства, но было включено в него позднее в результате исторического процесса, получившего название аскетического призвания - состояния, утверждавшего, что истинный смысл человеческой жизни зависит от божественного предопределения, при котором накопление материальных благ лишь выявляет людей, избранных Богом для демонстрации его проявления среди людей. Тезис Вебера нашел поддержку в трудах Ричарда Бакстера, важной фигуры методизма, который проповедовал, что праздность является величайшим проявлением греха против Бога и что для того, чтобы быть уверенным в своем благодатном состоянии, каждый человек должен неустанно трудиться, чтобы продемонстрировать свою состоятельность перед лицом божественной благодати.

Бакстер советовал истинным верующим работать, копить и богатеть, потому что только так они смогут продемонстрировать свои личные заслуги и обеспечить себе вечное спасение, отказавшись от безделья и удовольствий. Таким образом, Макс Вебер стремился установить прямую связь между пуританством и капитализмом (WEBER, M., 2008). Некоторые социологи считают, что гипотеза Вебера предположительно подтверждалась тем фактом, что главные основатели английской химической промышленности были кальвинистами.

Какое отношение этот веберианский тезис имеет к цели данного эссе? Чтобы ответить на этот вопрос, нам нужно сравнить политические идеи, которыми руководствуются в своих действиях две страны, одна из которых в основном протестантская, а другая - с самым большим на планете числом набожных католиков. Речь идет о США и Бразилии. Для этого мы рассмотрим размышления двух современных философов - Роберта Нозика и Франклина Леопольдо э Силва. В 1974 году Нозик опубликовал книгу "Анархия, государство и утопия", в которой поставил под сомнение обоснованность концепции распределительной справедливости, утверждая, что права личности настолько неотъемлемы и всеобъемлющи, что ни одно демократическое правительство не имеет права выделять государственные средства из подоходного налога на социальные программы, направленные на благо бедных людей, без того, чтобы они сами вносили свой вклад в государственную казну. По мнению автора, подобные установки будут способствовать лишь поддержанию инертного состояния этой группы неимущих людей, которые больше не будут выполнять свои социальные обязанности, пассивно ожидая пособий, предоставляемых патерналистским правительством. По его мнению, в либеральном обществе оправдано лишь "минимальное государство", ограничивающееся принуждением к исполнению контрактов и обеспечением безопасности людей от произвола, воровства и мошенничества. Таким образом, для Нозика любое правительство, использующее власть, предоставленную ему голосованием налогоплательщиков, должно быть лишено возможности реализовывать программы социального обеспечения для нуждающихся. Таким образом, одной из предпосылок, которую демократическая страна должна принять в качестве положения о петреа, было бы не обязывать граждан делать что-либо не по своей воле, включая финансовые пожертвования в пользу нуждающихся людей, которые могут существовать в обществе (NOZICK, R.1974). Эта политическая идея до сих пор преобладает в американском обществе. Свидетельство тому - непримиримое противодействие Республиканской партии инициативам администрации Барака Обамы, пытающейся реализовать предложения, гарантирующие медицинское обслуживание значительной части жителей США, не имеющих плана медицинского страхования, что является чрезвычайно дорогостоящим условием на рынке медицинского страхования этой страны. Речь идет о населении численностью около 40 миллионов человек - огромном контингенте лиц, не имеющих медицинской страховки и, следовательно, лишенных возможности пользоваться преимуществами доступа к высокотехнологичным процедурам в стране с лучшим медицинским обслуживанием в мире. Франклин Леопольдо э Силва, в свою очередь, анализирует кризис разума и прикладной этики в книге "От философской этики к этике здоровья" (Da etica filosofica a etica em saude), уделяя особое внимание биоэтике и ее проявлению в здоровье человека, утверждая, что новая дисциплина станет полезным инструментом для ответа на вопросы о взаимоотношении науки и человеческих ценностей. По его словам, этот кризис был вызван историческими обстоятельствами, связанными с переоценкой прибыли в ущерб чувству солидарности с наиболее уязвимыми слоями населения. Важно помнить, что, согласно заповедям кантовской этики, человеческому достоинству не может быть назначена цена. По мнению автора, нет никаких оправданий тому, чтобы человек страдал от несправедливых или унизительных условий в своей личной жизни, особенно в области здоровья. Завершая свое выступление, Франклин обращается ко всем, кто несет ответственность в сфере здравоохранения: *"Необходимо знать реальность [социальной депривации] и ситуации, в которых следует выносить этические суждения, но делать эти суждения простым оправданием того, что существует, значит отказываться от этики"* (LEOPOLDO E SILVA, F. 1998). Таким образом, можно увидеть, что расстояние, отделяющее мышление бразильского философа от того, что отстаивает американец Нозик, обратно пропорционально тому, что сближает его с этикой *"один к другому"* французского философа Эммануэля Левинаса, чье мышление мы кратко представим далее в этом эссе. ( LEVINAS, E. 1993 )

Ханс Йонас, немецкий философ, умерший в 1993 году, ввел фигуру "геенны страха", чтобы обосновать принятие благоразумной позиции перед лицом моральной неопределенности, порождаемой техно-научными вмешательствами. Автор назвал производство и последующее сбрасывание атомных бомб на Хиросиму и Нагасаки вехой в неуместном использовании технологий. Джонас в интервью, опубликованном в журнале Esprit в мае 1991 года: *"Это привело мышление в движение к новому виду сомнений, вызванных опасностью, которую наша власть представляет для нас самих, власть человека над природой"*. (GREISCH, J. 1991).

Вместо того чтобы предчувствовать внезапный апокалипсис, Джонас признал возможность постепенного апокалипсиса, вызванного безрассудным использованием технологических достижений. Автор размышляет о том, что до XX века сфера действия этических предписаний ограничивалась межличностными человеческими отношениями. Это была антропоцентрическая этика, ориентированная на конкретный исторический момент. Научно-техническое вмешательство, последовавшее за освоением ядерной физики, радикально изменило эту простую реальность, подчинив природу человеческим замыслам, иными словами, она может быть радикально изменена, что требует создания нового договора об ответственности между человеком и природой. В заключение Джонас говорит, что это новое этическое предложение должно учитывать гармоничное сосуществование человека и внечеловеческой природы. Автор заявил, что вся предыдущая традиционная этика подчинялась трем предпосылкам, характеризующимся следующим образом:

1. Человеческие и внечеловеческие условия, независимо от вмешательства человека, всегда оставались неизменными.

2. Исходя из этого предположения, можно четко и без затруднений определить

благо человеческой и внечеловеческой природы.

3. Ответственность за человеческие поступки и их последствия была бы идеально разграничена во времени.

Природа не будет защищена действиями человека, потому что она сама сможет о себе позаботиться. Этика была связана с "здесь и сейчас". Вместо старых этических императивов, включая кантовскую норму: *"Поступай так, чтобы принцип твоего действия мог стать всеобщим законом"*, Йонас предлагает новый императив: "Поступай *так, чтобы последствия твоего действия были совместимы с постоянством подлинной человеческой жизни"*, или, говоря иначе, *"Не ставь под угрозу бессрочное существование человечества на Земле"*. (JONAS, H. 1995). Огромная уязвимость природы, подвергшейся технонаучному вмешательству, стала необычной ситуацией, поскольку изменению подверглась не что иное, как вся биосфера, что заставило задуматься о том, что нужно стремиться не только к благу человека, но и к благу всей внечеловеческой природы. Более того, новые вмешательства, изменяющие саму природу человека, выявили масштабы вызова для этической рефлексии. Йонас перечисляет ряд вопросов в различных областях человеческого здоровья, например, в отношении использования несоразмерных медицинских процедур, направленных на искусственное продление человеческой жизни, известных как дистханазия, он спрашивает: В какой степени это оправдано? Что касается контроля над поведением человека, то этично ли вызывать у людей чувство счастья или удовольствия с помощью химических стимуляторов? Что касается генетических манипуляций, когда человек берет эволюцию своего вида в свои руки, философ задается вопросом: готов ли человек к роли Творца? Кто будет скульптором нового образа человека, по каким критериям и на основе каких моделей? Имеет ли человек право изменять свое генетическое наследие?

Философ предупредил: *"Перед лицом почти эсхатологического потенциала нашей технологии незнание конечных последствий само по себе*

*является достаточным основанием для ответственной умеренности [...].*
*Стоит упомянуть еще один аспект: нерожденные не обладают силой [...].*
*Какие силы должны представлять будущее в настоящем?"* (JON AS, H. 1995).
Столкнувшись с такой необычайной силой трансформации, Джонас понял, что
мы лишены умеренных правил, упорядочивающих наши действия. Исправить
эту огромную ошибку, по мнению автора, можно только путем
формулирования "новой этики". В отношении окружающей среды Йонас
считал, что *"ответственность, установленная природой, то есть*
*существующая по своей природе, не зависит от нашего предварительного*
*согласия. [Это была бы безотзывная, неотменяемая и глобальная*
*ответственность".* (JONAS,H. 1995). Он понимал, что в эпоху цивилизации, в
которой доминируют технологии, первым долгом человека будет его
собственное будущее. И уважение к окружающей среде как "непременное
условие" поддержания человеческой жизни уже будет четко в нем прописано.
Поэтому мы должны помнить, что буйная и сложная жизнь планеты, которая
была достигнута в результате длительного творческого труда и теперь зависит
от вмешательства человека, требует от всего человечества новых обязательств
по защите и сохранению здоровой окружающей среды.

Схожим образом Морин и Керн рассуждали о взаимоотношениях между
человечеством и планетарной жизнью:

*"Крошечные человечки на крошечной пленке жизни, которая покрывает*
*крошечную планету, затерянную в огромной Вселенной. Но в то же время эта*
*планета - мир, жизнь - пульсирующая вселенная миллиардов и миллиардов*
*индивидуумов [...] Наше земное генеалогическое древо и наше удостоверение*
*личности можно наконец узнать сегодня, в конце пятого века планетарной*
*эры. И именно сейчас, в момент общения обществ, разбросанных по всему*
*земному шару, в момент коллективного исполнения судьбы человечества, они*
*приобретают для нас значение признания нашей земной родины".* (MORIN, E.
KERN, A.B., 1995)

Дело в том, что традиционный экономический учет, используемый экспертами, высоко оценивает технический прогресс и недооценивает деградацию окружающей среды, что в итоге позволяет проводить политику, хищнически нарушающую экологическое равновесие. Система оценки различных проявлений жизни на планете весьма шаткая, и мы не имеем ни малейшего представления о количестве видов растений и животных, которые ежегодно вымирают в результате несвоевременных действий человека. Экологически разрушительные меры, принятые в последние десятилетия, привели к сокращению сельскохозяйственных угодий и неконтролируемому загрязнению окружающей среды. В результате этих проблем увеличиваются расходы на проекты по обеззараживанию источников воды и на лечение таких заболеваний, как рак кожи, различные формы аллергии, эмфизема легких, бронхиальная астма и другие респираторные заболевания (SIQUEIRA, J.E., 1998). Неспособность адаптировать неагрессивные технологии к чувствительной жизни планеты меняет реальность, которая длилась миллионы лет и порождает разрушение озонового слоя, а также неудовлетворительное развитие человечества, которое сопровождается бедностью и социальным неравенством. Таким образом, существует связь между деградацией окружающей среды и социальной несправедливостью. Абсолютные цифры показывают, что в настоящее время в мире от голода страдает больше людей, чем когда-либо в истории человечества. Разрыв между богатыми и бедными странами увеличивается, а удовлетворительных показателей для исправления этой печальной реальности не существует. (Всемирная комиссия по окружающей среде и развитию, 1992). Показатели продолжительности жизни японцев приближаются к 80 годам, в то время как жители стран Африки к югу от Сахары не доживают до 50 лет.

Дело в том, что изменения, которые сейчас происходят в окружающей среде, носят кумулятивный характер, и агентов, ответственных за эти преобразования, уже не будет рядом в ближайшие столетия, чтобы ответить за свои действия. Будущие поколения не делегировали нынешним полномочия на принятие этих заумных решений и будут лишь пожинать их горькие плоды. Большинство сегодняшних лидеров не станут свидетелями самых серьезных последствий кислотных дождей, глобального повышения температуры на планете, сокращения озонового слоя, неконтролируемого опустынивания и невосполнимой утраты биоразнообразия. В своем публичном заявлении, еще будучи президентом США, Барак Обама предупредил, что нынешнее человеческое поколение первым ощутит пагубные последствия ухудшения состояния окружающей среды и может оказаться последним, кто примет меры по спасению планеты от катастрофы невообразимых масштабов. Дональд Трамп, нынешний президент США, к сожалению, считает иначе. Для него глобальное потепление - великая выдумка досужих ученых.

Мы привыкли жить с проблемами ограниченной моральной сложности, которые мало что дают нам для понимания тревожных аспектов этических вопросов, которые ставятся сейчас. Технонаука видит только черное и белое, тогда как этика воспринимает серое и его различные оттенки. Столкнувшись с этими вопросами, Йонас сказал: "В результате неизбежно утопических масштабов современной технологии спасительное расстояние между повседневными проблемами и экстремальными, между случаями, требующими обычного благоразумия, и случаями, требующими глубокой мудрости, сокращается скачками [...]. Если новый характер наших действий требует новой этики долгосрочной ответственности, соразмерной с диапазоном нашей власти, то во имя этой же ответственности требуется и новый вид смирения. Смирения, которое не является таким же, как прежде, другими словами, это уже не смирение перед лицом малости, а скорее перед лицом чрезмерной величины нашей власти, которая выражается в чрезмерности нашей власти действовать [...]. Ввиду эсхатологического потенциала наших технологических процессов незнание конечных последствий само по себе становится причиной ответственной сдержанности [в наших действиях]". (JONAS, H. 1995).

## 6 ОТВЕТСТВЕННОСТЬ ЗА АКТ ЗАБОТЫ, ПРИСУЩИЙ ВРАЧЕБНОЙ ПРАКТИКЕ:

*"Наступает момент, когда приходится отказываться от подержанной одежды, которая уже имеет форму вашего тела.*

*и забыть наши пути, которые всегда ведут нас в одни и те же места.*

*Пришло время переступить через себя, и если мы не осмелимся это сделать, то навсегда останемся на задворках самих себя. "* (PESSOA, F., 2008.)

Эммануэль Левинас родился в Литве, эмигрировал во Францию, где изучал философию, погружаясь в область феноменологии вместе с Гуссерлем и Хайдеггером. Он преподавал в университетах Пуатье, Париж-Нантерр и, наконец, в Сорбоне. Не чувствуя себя комфортно в условиях рационализма современности, который ставил во главу угла возвышение *"Я"*, он посвятил себя размышлениям о важности *Другого*, вдохновив философское течение, известное как "этика альтернити". Левинас отвергает понимание субъекта как монады, и весь его философский проект следует понимать как стремление мыслить из открытия, разрушающего монадическую структуру, которую современность приписывает человеческому существу (LEVINAS, E., 1993). По мнению автора, только фигура *одного-для-другого может дать* удовлетворительный ответ на тревожный вопрос, поставленный в книге Бытия, когда Бог спрашивает Каина о местонахождении его брата Авеля и получает уклончивый ответ: "Разве я сторож брату моему?" (THE JERUSALEM BIBLE, 2009). Левинас считает, что на каждого человека возложена задача быть ответственным за *Другого*, особенно за тех, кто социально более уязвим. По его мнению, человеческое сообщество сможет выжить только в том случае, если оно посвятит свое внимание проявлению братства и солидарности по отношению к страдающему *Другому*. Философ решительно заявляет, что в жизни любого человека есть только одно возможное движение - выйти за пределы самого себя, чтобы протянуть руку помощи *Другому*. Это движение требует радикальной щедрости, поскольку означает безоговорочное движение навстречу *Другому,* без какого-либо ожидания награды за заслуги этого действия. Левинас утверждает, что это действие должно рассматриваться как "работа без вознаграждения" и что движущей силой его должна быть инаковость, наиболее полное представление самой этики. Он размышляет о том, что это движение должно стремиться преодолеть собственную эпоху, собственное эго, потому что сдача себя прозрению лица *Другого* характеризовала бы должность, которая была бы не только свободной, но и требовала бы от тех, кто ее осуществляет, "отдавать что-то". Он спросил: *"Откуда берется это потрясение, когда я равнодушно прохожу под взглядом Другого?".* Левинас ответил: *"Отношения с Другим задают мне вопросы, опустошают меня от самого себя и не перестают представлять мне все новые и новые возможности внимания к нему. Нет, я знал, что я так богат, но я больше не имею права ничего оставлять [для себя]".* По его словам, *Другой* проявляется в лице, как интерпеллирующее существо, лицо говорит и артикулирует первозданный дискурс, призывающий нас к литургии безусловной капитуляции. Лицо *Другого* будет навязывать себя нам, не позволяя нам оставаться бесстрастными к его призыву, не позволяя нам заявлять о своей безответственности за страдания, которые из него проистекают. Столкнувшись с требованиями *Другого,* "Я" потеряло бы право на забвение. Философ добавляет,

*"Прозрение абсолютно Другого представлено его лицом, которое бросает мне вызов и [навязывает] мне приказ [обратить внимание] на его наготу, на его нищету. Его присутствие [само по себе] состоит в разрушении самого эгоизма "я". Таким образом, в отношениях с лицом [Другого] очерчивается сохранение этической ориентации".* (LEVINAS, E., 1993)

Хочется надеяться, что медицинские работники будут восприимчивы к голосу Левинаса и смогут руководствоваться им в заботе о своих пациентах. Биоэтическая рефлексия также является частью этой дорожной карты в поисках совершенства в медицинской практике. В статье "Биоэтика: Наука выживания" Поттер определяет биоэтику как инструмент, который необходимо использовать для преодоления жестких рефлексивных ограничений академических дисциплин, предлагая мыслителям новые возможности для междисциплинарных построений, способствующих рождению "науки для выживания человеческого вида". (POTTER, V.R.1970).

В медицинских науках давно назрела необходимость гуманизации отношений между врачом и пациентом. Во второй половине XX века испанский клиницист Педро Лаин Энтральго учил, что *"профессионал, который хочет заниматься медициной как искусством, должен быть обучен гуманитарным наукам"*. (ENTRALGO, P.L.1983)

В контексте принятия клинических решений всегда существовала асимметрия между профессиональными знаниями и пассивностью пациента, неограниченно принимающего советы, предложенные теми, кто обладает техническими знаниями. Это состояние реляционной асимметрии стало известно как медицинский патернализм и оставалось нетронутым до тех пор, пока сами пациенты, недовольные тем, что им уделяется мало внимания, не начали принимать состояние автономных агентов, способных принимать решения о своем собственном теле. Во время клинических дискуссий оставалось только подчиняться деонтологическим нормам - территории моральных предписаний, определенных самой медицинской корпорацией в ее профессиональных кодексах. Имея четко определенные рамки правил - которые нельзя было подвергнуть сомнению, - преподаватели представляли студентам правила медицинского поведения, которым нужно было следовать без необходимости принимать во внимание моральные ценности или убеждения пациентов. Такая модель отношения к нормам характеризовала ситуацию моральной неподвижности, которая превращала профессионалов и пациентов в заложников деонтологических инструментов, заставлявших их оставаться неподвижными в дискомфортном состоянии моральной неполноценности. В этих условиях нередко многие студенты считали бессмысленным обсуждение клинических случаев, связанных с моральными конфликтами, утверждая, что для этого нет никаких правдоподобных оснований в силу обязанности подчиняться правилам, содержащимся в действующих деонтологических кодексах. Картезианско-флекснеровская модель обучения и медицинский патернализм, таким образом, оказались неадекватными инструментами для подготовки студентов к сложной задаче помощи пациентам и их семьям в принятии решений в условиях все более сложных моральных конфликтов.

Если считать, что базовый моральный облик студентов-медиков частично сформирован еще до поступления в медицинскую школу, то необходимо признать, что значительная часть их этического становления может быть приобретена и обогащена в период обучения в бакалавриате. Картезианская модель разделила сложное единство человеческого существа на все более мелкие кусочки знаний и поставила перед многочисленными автономными дисциплинами задачу конструирования медицинского знания. В результате период академического обучения превратился в навязчивое упражнение по "накоплению и нагромождению" информации без малейшей заботы о ее отборе и организации. По мнению Морина, университет должен был готовить специалистов с *полной головой,* в то время как, напротив, он должен был готовить их к тому, чтобы иметь *хорошо сделанную голову,* потому что важнее, чем беспорядочное накопление научной информации, было бы организовать ее через взаимодействие с другими знаниями таким образом, чтобы знания приобрели смысл (MORIN, E., 2001).

Обеспокоенная необычайным прогрессом научных знаний и значительным ростом числа академических дисциплин, ЮНЕСКО создала Международную комиссию по образованию для XXI века, которая совместно с Международной комиссией по трансдисциплинарным исследованиям разработала проект CIRET-UNESCO. В заключительном документе, выпущенном этими организациями, можно прочитать, что "дисциплинарные исследования касаются максимум одного уровня реальности [...] фрагментов одного уровня реальности [...] трансдисциплинарность интересуется динамикой, порожденной действием нескольких уровней реальности одновременно [...] питающей дисциплинарные исследования [...]. В этом смысле дисциплинарные и трансдисциплинарные исследования будут не антагонистическими, а взаимодополняющими". В заключительном отчете предлагается новый тип университетского образования, построенный на следующих основах: учиться познавать, учиться делать, учиться жить вместе, учиться быть (PROJETO CIRET- UNESCO, 1997).

В начале 1970-х годов Андре Хеллегерс, первый директор Института биоэтики имени Кеннеди, заявил, что проблемы, с которыми столкнутся врачи в ближайшие годы, будут все больше этическими и все меньше техническими. Экстраординарный рост технологической медицины не сопровождался существенным этическим осмыслением, что заставило Поттера предложить критерии, когда **не следует** использовать все доступные медицинские технологии при принятии клинических решений по уходу за неизлечимо больными пациентами (POTTER, V.R., 1971).

Необходимо признать, что бездумное использование технологических достижений в медицине не всегда дает удовлетворительные результаты и не влечет за собой моральных конфликтов. Хрестоматийный пример такой ситуации произошел в США в 1989 году с бесплодной парой, которая, стремясь осуществить свою мечту о ребенке, обратилась за помощью в клинику искусственного оплодотворения человека. У женщины, Луанны, был обширный эндометриоз, и она не могла поместить эмбрион в матку без того, чтобы беременность не стала рискованной и не привела к выкидышу на раннем сроке. У Джона, ее мужа, была олигоспермия и сперматозоиды с анатомическими и функциональными дефектами. Эти первоначальные трудности были преодолены путем приобретения гамет у анонимных доноров - процедура, не подпадающая под действие незаконного законодательства США.

Не имея возможности получить эмбрион, полученный в результате оплодотворения "in vitro" в собственной матке, пара согласилась нанять здоровую женщину в качестве суррогатной матери, заключив контракт, в котором оговаривалась стоимость 10 000,00 долларов США в случае успешной беременности, что также имело юридическую поддержку в этой стране. На восьмом месяце беременности супруги Буццанка развелись, и первоначальное соглашение было оспорено Джонхом, который, используя аргумент, что у него нет биологической связи с плодом беременности, посчитал, что не обязан брать на себя отцовство ребенка. Плоду уже было дано имя Джейси, выбранное после определения пола ребенка, которое было получено в результате УЗИ брюшной полости, проведенного суррогатной матерью на первых неделях ее беременности. Разногласия между Джоном и Луанной переросли в судебный спор, и дело было передано в Верховный суд Калифорнии. После рождения девочки и в ожидании окончательного решения суда судья Роберт Монарх решил определить ее как "ребенка без определенных родителей". Джейси оставалась под опекой штата Калифорния в течение четырех лет, пока окончательное решение Верховного суда штата не выиграло дело в пользу Луанн, и только тогда ее родительская личность была признана. Она стала признаваться дочерью Луанны, зная, однако, что в судебных инстанциях ей было отказано в отцовстве Джоном, ее сентиментальным отцом. Кроме того, Джейси знала, что, будучи предметом судебного спора, в будущем ей будет трудно узнать своих биологических родителей, защищенных тайной анонимности - условием, гарантированным контрактом, подписанным между донорами гамет и клиникой оплодотворения, которую пара использовала для процедуры. (REVISTA VEJA;1998). В описанном случае видно, что при проведении медицинской процедуры все внимание было сосредоточено на интересах супругов Буццанка, не принимая во внимание будущее Джейси, ребенка, забеременевшего по заказу ее сентиментальных родителей. Итальянская комиссия по биоэтике, рассматривая вопрос о вспомогательном оплодотворении человека, справедливо вынесла следующее заключение 17 июня 1994 года: *"Благо нерожденного ребенка должно считаться главным критерием для оценки различных мнений о деторождении [...]. Кроме того, основополагающим принципом является то, что рождение человеческого существа является результатом ответственности, явно принятой на себя во всем мире теми, кто прибегает к искусственному оплодотворению. "* (BERLINGUER, G., 2004).

Если же мы рассмотрим повседневную рутину медицинской помощи, то придем к выводу, что симптомы, которые приводят пациента на консультацию, неизменно несут в себе значительную долю неопределенности, выражают послания, которые необходимо правильно расшифровать, что обязывает специалиста, услышавшего их, быть осторожным в рекомендациях, которые он дает пациенту. Кроме того, нейронаучные данные свидетельствуют о том, что, столкнувшись с любой болезнью, человек обретает новое экзистенциальное состояние, которое является результатом сложной суммы ощущений, связанных с восприятием, интерпретацией и представлением его личной уязвимости. Это состояние очень хорошо проанализировала Сьюзен Сонтаг в своей книге "Болезнь как метафора", в которой автор описывает влияние болезни на жизнь людей: "Болезнь - это *темная сторона жизни, дорогостоящее гражданство. Хотя все мы предпочитаем пользоваться только хорошим паспортом, рано или поздно каждый из нас вынужден, хотя бы на время, идентифицировать себя как гражданина другой группы"* (SONTAG, S., 1984).

Это позволяет нам лучше понять важность подготовки специалистов, хорошо подготовленных в четырех областях мастерства, предложенных ЮНЕСКО. Другими словами, им недостаточно обладать теоретическими знаниями или техническими навыками, они должны знать, как *жить* и *быть в* обществе, которое их окружает. Поэтому необходимо признать актуальность учения Фернандо Пессоа, когда он в своих стихах утверждает, что наступает момент, когда необходимо отказаться от одежды, которая уже приняла форму нашего тела и держит нас в плену устаревшей модели медицинского обучения, и что мы должны забыть пути, которые ведут нас в те же места, что и всегда, и что мы должны осмелиться искать другой берег себя, чтобы достичь другого, Как учит Левинас, только так можно исполнить завет Гиппократа: "Там, где присутствует любовь к человеку, будет присутствовать и любовь к искусству" (CAIRUS, F.H.;RIBEIRO JUNIOR,W.2005)

Вера некоторых людей в то, что наука знает ответы на все вопросы, проистекает из искаженного представления о реальности. Мы должны осознавать, что научные достижения несут в себе как риски, так и преимущества. В частности, в медицине риски и выгоды являются общим знаменателем, когда речь идет о применении выдающихся достижений в области оружейной медицины и терапии. Важно всегда сохранять критический настрой, понимая, что неразумно сдерживать достижения биомедицины, и в то же время осознавая, что неразумно культивировать некритичный оптимизм, игнорирующий заложенные в них риски.

Можно рассматривать научные знания как важные совокупные факты, но нельзя сказать то же самое о конструировании этических ценностей. Этика не должна рассматриваться как простая приправа, призванная придать лучший вкус деликатесам, представленным в меню технонауки, но, напротив, она является необходимым ингредиентом, чтобы сделать производимую ею пищу более здоровой для потребления человеком. Нас часто одолевает мания технонауки, и у нас возникает иллюзия, что накопления знаний достаточно, чтобы сделать нас счастливыми и овладеть секретами жизни. Мы должны прислушаться к убедительному высказыванию Ницше о научности:

*"Вы - холодные существа, которым кажется, что вас поощряют против страсти и химеры. Вы хотели бы, чтобы ваша наука стала украшением и предметом гордости! Вы навешиваете на себя ярлык реалиста и подразумеваете, что мир действительно устроен так, как он вам кажется".*

(НИЦШЕ Ф., 2001).

Останавливать развитие науки - совершенно глупо, безобидно и строго противоречит сути человеческой природы, стремление которой всегда будет направлено на построение новых реальностей. Однако неразумно считать, как предлагают некоторые позитивисты, что человек технонаучного века должен применять полученные знания без какого-либо социального контроля. Напротив, Джованни Берлингуэр размышляет о том, что: *"Скорость, с которой мы переходим от чистых исследований к прикладным, сейчас настолько высока, что сохранение даже на короткое время ошибок или мошенничества может привести к катастрофам"* (BERLINGUER, G., 2004)...) Если, с одной стороны, мы имеем последователей бэконовской концепции, которая гласит, что сам факт овладения знаниями является достаточным для того, чтобы мы могли использовать их так, как нам удобно, то, с другой стороны, мы можем услышать более благоразумные голоса, такие как Поттер, который в своей книге "Биоэтика: мост в будущее" дал следующее определение биоэтике: *"Мои знания ограничены, но я буду сочетать их со знаниями и мнениями других умных людей, вдохновленных чувством этики и представляющих различные дисциплины, чтобы упорядочить свои убеждения и предвидения"* (POTTER, V.R., 1971). К счастью, между "laissez-faire" и "сатанизацией" технонауки нам предлагается разумный путь благоразумия. Впечатляющий рост медицинских технологий был неуместно ассимилирован в профессиональной практике, поскольку из дополнения они превратились в необходимость. Возможности сбора анамнеза значительно сократились, а детальное физическое обследование стало утомительным и даже ненужным занятием перед лицом неисчерпаемой силы информации, предоставляемой оборудованием. Технологическая медицина изменила способ постановки диагноза и, как следствие, терапевтический акт. Медицина, изначально представлявшая собой богатое искусство межсубъектных отношений, свелась к бедному ремеслу считывания переменных, предоставляемых оборудованием.

Мы слушаем, не слыша, потому что нас научили недооценивать проявления субъективности пациентов. Посещение палат во многих университетских больницах превратилось в монотонную последовательность чтения бесконечного списка вспомогательных тестов (KANH, 1988). Аналогичным образом, с развитием многоцентровых клинических исследований с участием большого количества пациентов, за которыми ведется длительное наблюдение, возникла иллюзия, что полученные результаты должны стать единственным руководством для терапевтического поведения медицинских работников. Однако при этом врачи не учитывают, что эти крупные "испытания" не обязательно имеют отношение к реальным случаям, с которыми они сталкиваются в повседневной жизни. Необходимо учитывать, что в этих исследованиях приводятся статистические данные, относящиеся к выборке испытуемых со всего мира, и что простое перенесение информации из этих исследований в конкретный контекст - серьезная ошибка, которую не должны совершать профессионалы (BOBBIO, M., 2014).

Что касается неадекватного использования диагностических методов исследования, то Бернард Лоун, один из самых известных кардиологов ХХ века, рассказал, что из миллиона *коронарных* ангиографий, проведенных в 1993 году в США, двести тысяч оказались нормальными, и заключил, что *"если бы руководствовались рекомендациями его учителя, профессора Самуэля Левина, то немногие пациенты с нормальными коронарными артериями были бы подвергнуты такому инвазивному и дорогому исследованию"* (LOWN, B., 1996).

Еще одной областью, где технологии внесли важный вклад в спасение жизней, но в то же время привели к внедрению неадекватных процедур, стало отделение интенсивной терапии (ОИТ). Нет необходимости подчеркивать преимущества новых диагностических и терапевтических методик, поскольку бесчисленные жизни были спасены в критических ситуациях, таких как восстановление пациентов с острым инфарктом миокарда и/или заболеваниями с тяжелыми гемодинамическими нарушениями, выздоровление которых возможно только при использовании хитроумных терапевтических процедур. Так получилось, что в наши отделения интенсивной терапии стали поступать пациенты с неизлечимыми хроническими заболеваниями, с самыми разными клиническими проявлениями, которым оказывалась та же помощь, что и остро больным. В то время как последние часто достигали удовлетворительного выздоровления, хроническим больным предлагалось не более чем шаткое выживание, часто ограниченное вегетативным состоянием жизни. В какой степени следует считать целесообразным внедрение технологических процедур искусственного жизнеобеспечения для пациентов с неизлечимыми заболеваниями? В традиционных медицинских курсах студентам много рассказывают о передовых технологиях и мало о трансцендентном смысле человеческой жизни. (SIQUEIRA, J.E., 2005) Мы утратили способность понимать измерение учения, заключенного в афоризме: "Медицина призвана лечить иногда, облегчать очень часто и утешать всегда". Врачей учат трактовать жизнь как сугубо биологическое явление и использовать все биомедицинские технологии для реализации этой тщетной утопии. Одержимость поддержанием биологической жизни любой ценой привела нас к терапевтическому упрямству. Таким образом, мы имеем серьезную этическую дилемму, с которой ежедневно сталкиваются врачи-реаниматологи, когда им приходится решать, при каких клинических обстоятельствах необходимо **отказаться от** использования всех технологий, доступных в отделении интенсивной терапии?

# 7 НЕКОТОРЫЕ СООБРАЖЕНИЯ НА ТЕМУ СМЕРТИ-ТАБУ

Любопытно, что журнал "Экономист", одно из самых авторитетных международных изданий по экономике, в последние годы стал новостным изданием, в котором больше всего публикуется статей об уходе за больными в конце жизни. В 2010 году журнал опубликовал доклад, подготовленный по заказу Фонда Лиена, под названием "Качество смерти: рейтинг услуг по уходу за больными в конце жизни в мире" (THE ECONOMIST & LIEN FOUNDATION, 2010). В отчете 2015 года индекс качества смерти также был обновлен с учетом количества отделений паллиативной помощи в мире (THE ECONOMIST & LIEN FOUNDATION, 2015). Совсем недавно, в апреле 2017 года, в партнерстве с Фондом семьи Генри Дж. Кайзера журнал опубликовал новый доклад под названием "Видение и опыт медицинского ухода в конце жизни в Японии, Италии, США и Бразилии" (THE ECONOMIST & THE HENRY J. KAISER FAMILY FOUNDATION, 2017). Учитывая важность отчета за 2017 год, мы выделим некоторые данные, которые считаем важными. Исследование заслуживает внимания всех специалистов, работающих в области ухода за хроническими больными и больными в конце жизни, поскольку оно позволяет получить ценную информацию об этой сложной области медицинской помощи. Вначале мы рассмотрим мнения пациентов о том, как бы они хотели, чтобы о них заботились в конце их собственной жизни. Мы выбрали пять вопросов, которые показались нам наиболее символичными: 1. "Что вы считаете наиболее важным в конце жизни, когда речь идет о помощи и уходе?" Ответы были следующими: а) продление жизни как можно дольше: Япония, 9%; США, 19%, Италия, 13%, Бразилия, 50%. б) помощь людям в безболезненной смерти: Япония, 82 %; США, 71 %; Италия, 68 % и Бразилия, 42 %. Поразительно, что в Бразилии 50 % опрошенных выступают за продление жизни на максимально возможный срок. Возможно, это ошибочное мнение связано с неадекватным использованием коек в отделениях интенсивной терапии и оправдывает тот факт, что наша страна по-прежнему остается одной из немногих в мире, признающих оправданным использование паллиативной помощи в отделениях интенсивной терапии. 2. "Когда вы думаете о своей смерти, что вы считаете чрезвычайно важным? а) Не оставить свою семью в затруднительном финансовом положении": 59% в Японии и 54% в США; б) духовный покой: 40% в Бразилии; в) присутствие близких людей во время процесса умирания: 34% в Италии. Здесь стоит выделить утверждение "быть в духовном мире", которое приписывается подавляющему большинству опрошенных бразильцев. 3." По поводу продления жизни как можно дольше (данные собраны только среди бразильских респондентов, с учетом разных уровней образования) 51 % опрошенных с начальным образованием высказались "за", 53 % со средним образованием придерживаются того же мнения, и только 35 % с высшим образованием приветствуют идею неизбирательного продления биологической жизни. Таким образом, можно сделать вывод, что бразильцы с более высоким уровнем образования предпочитают облегчение боли, физический и эмоциональный комфорт альтернативе искусственного продления биологической жизни. (4) Умирать с меньшей болью, дискомфортом и *страданиямиПо данным* других исследованных стран, 41% людей с начальным образованием, 40% людей со средним образованием и 58% людей с высшим образованием одобрили эту меру. 5. о том, кто должен принимать решение о медицинском лечении пациентов в конце жизни: в среднем по странам 57% считают, что это решение должно приниматься исключительно пациентами и их семьями, 40% высказались за поведение, определяемое врачами, а 2% не знают, как ответить. Одним словом, большинство респондентов в Японии, Италии и США, столкнувшись с серьезными и неизлечимыми заболеваниями, предпочли получить помощь, которая уменьшит боль и позволит членам семьи быть рядом с ними в моменты, близкие к концу жизни, а не процедуры, искусственно продлевающие жизнь. Кроме того, согласно данным опроса, 50 % бразильцев, когда их попросили высказать свое мнение об окончании жизни, решительно заявили о желании остаться в отделении интенсивной терапии, в то время как в США, Италии и Японии этот показатель был ниже - от 9 до 19 %, при этом преобладал выбор в пользу паллиативного лечения и смерти без боли и страданий. Напротив, в Бразилии только 42 % считают этот вариант "очень важным". Еще одним выводом, сделанным в ходе исследования, стало значительное преобладание религиозности среди бразильцев, что выразилось в том, что 40 % опрошенных считают "чрезвычайно важным" быть "духовно умиротворенными" в момент окончания жизни. Восемь из десяти бразильцев (83 %) заявили, что придают большое значение религиозным и духовным убеждениям. Наиболее примечательной является статистика, когда эти люди заявляют о своих пожеланиях относительно лечения, которое они хотели бы получить в конце жизни. В ходе опроса 54 % взрослых бразильцев назвали себя католиками, а трое из десяти - евангелистами. Вопрос, который возникает в связи с большим количеством бразильцев, считающих, что перед лицом неминуемой смерти важно "быть духовно умиротворенным", заключается в том, как предлагается такая помощь. С другой стороны, в США и Японии, где стоимость медицинских услуг зачастую очень высока, важным является условие сохранения финансовой безопасности семьи после смерти пациента. В Италии пациенты больше всего беспокоились о том, чтобы в последние минуты жизни они могли рассчитывать на присутствие "своих близких рядом", а также "на уверенность в том, что их личные пожелания относительно медицинских процедур, принятых в конце жизни, будут соблюдены". Тревожным фактом, выявленным в ходе исследования в четырех странах, стало почти систематическое отсутствие диалога с пациентами на тему конца жизни. Например, в Японии только 31 % взрослых пациентов и 33 % людей старше 65 лет заявили, что у них была возможность обсудить эту тему с близким человеком, и только 7 % сказали, что обсуждали ее с врачом; только 6 % официально оформили свои предварительные директивы, а 64 % не сделали этого, заявив, что не знали о такой альтернативе. С аналогичными выводами мы ссылаемся на исследование, проведенное в частной службе ухода на дому за пациентами с неизлечимыми заболеваниями в городе Флорианополис, которое стало темой магистерской диссертации, представленной на магистерскую программу по биоэтике в Папском католическом университете Параны (Pontificia Universidade Catolica do Parana, PUCPR) в 2016 году. В ходе исследования ученый оценил уровень знаний 55 пациентов, которым оказывалась помощь в рамках программы, о предварительных распоряжениях о волеизъявлении (ADW). Из общего числа только один пациент зарегистрировал свои АДВ, 3 пациента выразили желание сделать это после беседы на эту тему с автором исследования, остальные 51 пациент заявили, что им не предоставлялась возможность поговорить об этом (SCOTTINI, M.A., 2016). Хорошо известно, что количество официально зарегистрированных VAD невелико и сильно варьируется от родителя к родителю. В четырех странах, где проводилось исследование, были получены следующие результаты: а) если рассматривать население в целом: 6% в Японии и Италии, 27% в США и 14% в Бразилии. б) с учетом только населения старше 65 лет: 12% в Японии, 5% в Италии, 51% в США и 13% в Бразилии. Еще один факт, над которым стоит задуматься, - это то, что в США примерно 1/3 людей, умерших в возрасте после 65 лет, были помещены в отделение интенсивной терапии в течение месяцев, предшествовавших их смерти, а 1/5 из них подверглись хирургическому вмешательству в течение месяца, предшествовавшего их смерти. По оценкам, к 2020 году не менее 40 % населения США будет умирать в собственных домах или в домах престарелых без сопровождения семьи. С другой стороны, хаотичная ситуация в здравоохранении Бразилии, нехватка ресурсов и адекватной больничной инфраструктуры, а также неуверенность и дезинформация людей приводят к тому, что преобладает идея о том, что ортотаназия, то есть отказ от применения бесполезных или несоразмерных методов лечения пациентов с неизлечимыми заболеваниями в терминальной стадии, считается отказом от ухода или неоказанием медицинской помощи.

Этому заблуждению способствует недоверие к качеству государственных медицинских услуг в стране. В Бразилии насчитывается 110 служб паллиативной помощи, зарегистрированных Национальной академией паллиативной помощи (ANCP), в то время как в США их насчитывается 1 700. Еще одной огромной проблемой является почти полное отсутствие содержания по вопросам ухода из жизни и паллиативной помощи в учебных программах медицинских курсов для студентов. Исследование, опубликованное в журнале The Lancet в ноябре 2010 года, показало тревожные результаты квалификации выпускников 2420 медицинских курсов по всему миру. Первый педагогический проект, использовавшийся медицинскими школами в начале XX века, после реформ, предложенных в докладе Флекснера, был ориентирован на преподавание в третичных больницах. Вторая модель, известная под аббревиатурой PBL (Problem Based Learning), задуманная в 1970-х годах университетами Маастрихта и Макмастера, получила широкое распространение на медицинских курсах. Третья модель, обещающая готовить профессионалов с большей социальной ответственностью, обозначенная как "Системы образования в области здравоохранения", которая предусматривает подготовку врачей, вдохновленных принципами этики инаковости, до сих пор не имеет инициатив по ее внедрению. Исследование, разработанное двадцатью педагогами с большим опытом работы в сфере медицинского образования из разных стран мира, вошедшими в состав "Комиссий Ланцета", имело главной целью определить наиболее подходящий профиль профессиональной подготовки для занятия медициной в XXI веке (THE LANCET COMMISSIONS, 2010). Предложение о подготовке новой модели профессионала, лучше подготовленного к принятию разумных и взвешенных решений перед лицом сложных этических конфликтов, которые часто возникают в современном обществе, отмеченном моральным плюрализмом, по-прежнему занимает территорию идеалов, отстаиваемых опытными педагогами, которые, однако, не соответствуют интересам, отстаиваемым университетскими учреждениями, руководствующимися рыночными правилами, которые предпочитают готовить врачей для обслуживания как можно большего числа пациентов, независимо от качества услуг, предоставляемых обществу. Таким образом, к сожалению, мы вынуждены признать, что пока не достигли цели подготовки специалистов, готовых признать пациентов биопсихосоциальными и духовными существами, людьми, обладающими автономией, чтобы высказывать свое мнение и активно участвовать в медицинских процедурах, которые будут проводиться на их собственном теле. Как мы можем дать профессионалам гуманистическое образование, если они даже не получают никаких знаний о конце жизни и паллиативной помощи во время обучения в бакалавриате? Именно это показало исследование Пиньейро, когда он опросил студентов-медиков 5 и 6 курсов в городе Сан-Паулу. В ходе опроса выяснилось, что 83 % студентов не получили никакой информации об уходе за пациентами с неизлечимыми заболеваниями, 63 % - о том, "как сообщить больше новостей", 76 % заявили, что не знают клинических критериев оптимизации обезболивания у онкологических больных (PINHEIRO,R.S., 2010). С другой стороны, в наших университетах слишком много внимания уделяется преподаванию бесчисленных предметов без установления логической связи между ними, позволяющей студентам понять, что, какой бы недуг ни поразил пациента, он всегда будет включать в себя всю биопсихосоциальную совокупность больного человека. Разбивка человеческого тела на органы и системы, которая практикуется в большинстве медицинских вузов, означает, что студентов и, очевидно, будущих врачей готовят лечить болезни, а не людей. Эдгар Морин категоричен, когда утверждает, что "дисциплинарное развитие наук принесло не только преимущества разделения труда, но и недостатки чрезмерной специализации, ограничения и демонтажа знаний. Они породили не только знание и прояснение, но и невежество и слепоту" (MORIN, E., 2001). Зарождающийся мультидисциплинарный подход, внедряемый в медицинских учебных заведениях, можно только приветствовать, но он недостаточен для решения сложных моральных проблем, возникающих в ситуациях, связанных с концом жизни. В связи с конечностью человека необходимо, чтобы представители различных областей знаний, таких как медицина, психология, теология, сестринское дело и многие другие, общались друг с другом, поскольку только совместное использование знаний каждой области позволит правильно ухаживать за пациентами в терминальной фазе жизни. Только междисциплинарный подход позволит правильно принимать решения в паллиативной медицине (SANTOS, M., 2017). Как нам кажется, мы воспользовались опытом американского нейрохирурга Пола Каланити, записанным в его книге "Последний вздох жизни", которая воспроизводит траекторию его жизни от этапа "В полном здравии я ем" (часть I) до "Не останавливаясь, пока не умру" (часть II). На 167 страницах автор позволяет нам проследить за его опытом встречи со смертью. Эпилог книги, написанный его женой Люси после смерти Пола, содержит следующее наставление: *"Решение Пола не отворачиваться от смерти выражает силу, которую мы недостаточно празднуем в нашей культуре, отвергающей смертность. Написание этой книги стало возможностью научить нас честно встречать смерть"* (KALANITHI, P., 2016). Возвращаясь к исследованию, опубликованному журналом The Economist, мы считаем важным подчеркнуть некоторые моменты, касающиеся данных, полученных в четырех изученных странах. Несмотря на социально-демографические и культурные различия между ними, стоит выделить некоторые общие моменты, например, тот факт, что большинство респондентов, независимо от страны, в которой проводилось исследование, считают, что здравоохранение, финансируемое за счет государственных инициатив, является неудовлетворительным. Многие респонденты считают, что государственные чиновники не готовы или не мотивированы продвигать соответствующие меры по уходу за пожилыми людьми или теми, кто страдает неизлечимыми заболеваниями. На вопрос о том, какие методы лечения считаются необходимыми для ухода в конце жизни, большинство японцев, итальянцев и американцев отдали предпочтение методам лечения, которые уменьшат боль и облегчат страдания, причиняемые болезнью. Аналогичным образом, отвечая на вопрос о конечности собственной жизни, они выразили общее мнение: "жить хорошо, насколько это возможно, при условии, что достоинство человека всегда будет уважаться". При обсуждении планирования на конец жизни подавляющее большинство людей из всех четырех стран заявили, что смерть все еще считается "запретной темой", что является самым большим препятствием для разговоров на эту тему. Что касается регистрации АДР, то наибольшую степень согласия с подписанием документа продемонстрировали североамериканцы.

# 8 ЗАКЛЮЧИТЕЛЬНЫЕ СООБРАЖЕНИЯ :

Мы еще раз подчеркиваем, что нет необходимости перечислять преимущества, которые дает человечеству технологический прогресс современной медицины. Достаточно вспомнить точную информацию, получаемую с помощью томографии, магнитно-резонансной томографии и ядерной медицины, вклад ультразвука как метода диагностики, решающее значение маммографии в раннем выявлении рака молочной железы, подробную информацию, получаемую с помощью пищеварительной эндоскопии и коронарной ангиографии. С терапевтической точки зрения можно упомянуть операции, проводимые с помощью видеолапароскопии, микрохирургические вмешательства и минимально инвазивные хирургические процедуры с помощью робототехники - условия, благодаря которым расстояние между реальностью и вымыслом практически не существует. Поэтому нет необходимости превозносить вклад биомедицинских технологий. Однако необходимо задуматься о том, как правильно использовать весь этот дорогостоящий аппарат. Мы считаем уместным напомнить яркие высказывания профессора Хосе Паранагуа де Сантаны, который по случаю XXXVIII Бразильского конгресса по медицинскому образованию, состоявшегося в сентябре 2000 года, сказал: "*Научно-технический прогресс, достигнутый в рамках флекснеровской концепции, особенно во второй половине XX века, - это свидетельство, которое не нужно принимать во внимание*". С другой стороны, и в этом аспекте нет никаких разногласий, мы наблюдаем не стагнацию, а откровенное ухудшение этических стандартов в процессе оказания медицинских услуг" (SANTANA,J.P., 2000). Таким образом, существует широкое согласие в осуждении действий, которые приводят к чрезмерной технической и недостаточно гуманистической подготовке медицинских работников. Нам необходимо восстановить изначальное доверие, которое всегда пронизывало отношения между врачом и пациентом, потому что только так мы сможем понять больного человека во всех его богатых и сложных измерениях.

Одним словом, перед нами стоит задача: продолжать заниматься медициной как техникой, которая является заложником растущего арсенала оборудования, или вернуть восприятие, рефлексию и критику в наши профессиональные действия. Не стоит забывать и о том, что технологии уже соблазняют огромный контингент пациентов, которые очень часто обращаются за медицинской помощью только для того, чтобы осуществить свою мечту - пройти новейшие процедуры, изобретенные технонаукой. Доверие к информации, предоставляемой оборудованием, растет в той же пропорции, в какой падает доверие к личной компетентности врача. Будем ли мы пассивно наблюдать за тем, как медицинская практика перестает быть искусством, а врачи превращаются в послушных марионеток, которыми манипулирует техно-научный фундаментализм, хитроумно спонсируемый крупными медицинскими и фармацевтическими компаниями?

С другой стороны, необходимо осуществить культурные изменения, которые позволят нам преодолеть тему смерти, что является необходимым условием для того, чтобы пациенты с неизлечимыми заболеваниями получали адекватную паллиативную помощь, могли рассчитывать на физическое присутствие и эмоциональный комфорт своих близких, а также на духовную помощь. Только так мы признаем их биопсихосоциальными и духовными существами, имеющими право на достойную смерть.

## ССЫЛКИ:

Бакон, Ф. *Жизнь и работа*. Сан-Паулу, Editora Nova Cultura, 1999.

БЕРЛИНГУЭР, Г. *Вопросы жизни: этика, наука и здоровье*. Сан-Паулу: Hucitec, 1993.

*Bioetica cotidiana*. Бразилиа: Editora UnB, 2004

БИБЛИЯ А.Т. Бытие. В *Иерусалимской Библии*. Сан-Паулу : Эдигоес Паулинас, 1973.

BLOOM, A. *The Decline of Western Culture*. Sao Paulo: Best Seller,1989 BOBBIO, M. *O doente imaginado.Sao* Paulo, Bamboo Editorial, 2014

КАЙРУС, Ф.Х. РИБЕЙРО-МЛАДШИЙ, У. *Тексты Гиппократа: пациент, врач и болезнь*. Рио-де-Жанейро: Фиокруз, 2005.

МЕЖДУНАРОДНЫЙ ЦЕНТР ТРАНСДИСЦИПЛИНАРНЫХ ИССЛЕДОВАНИЙ И НАУК *Какой университет завтра? В поисках трансдисциплинарной эволюции университета*. Локарно: Ciret-Unesco, 1997 Всемирная комиссия по окружающей среде и развитию. Мадрид: Alianza Editorial, 1992.

КОРРЕЙО БРАЗИЛИЕНСЕ. Бразилиа. DF, April 21, 1997 CORTINA, A. *Ciudadanos del Mundo*. Мадрид: Alianza Editorial, 2001. ENDO, P. *Sobre a Violencia: Freud, Hannah Arendt e o caso do mdio Galdino*. In: ZUGUEIB Neto,J.(org.) *Identidade e Crises Sociais na Contemporaneidade.'*Curitiba: UFPR, 2005.

ЭНГЕЛЬХАРДТ, Т. *Основы биоэтики*. Сан-Паулу : Лойола, 1998.

ENTRALGO,P.L. *La relation medico-enfermo*. Madrid: Alianza Editorial, 1983.

ФРЕУД, С. *Мас алла дель Принсипио дель Пласер*. Мадрид: Biblioteca Nueva, 1981. GARRAFA, V. PORTO, D. *Bioetica, poder e injustiga: por uma ética de Intervenâo*. In: Bioethics, *Power and Injustice*. Sao Paulo: Loyola, 2003.

GREISCH, J. *De la gnose au Principe Responsabilite: un entretien avec Hans Jonas*. Paris: Esprit, 1991.

HOTTOIS, G. *El paradigma bioetico:una etica para la tecnociencia*. Barcelona:

Antthropos, 1991.

HUSSERL, E. *La idea de la fenomenologia:problemas fundamentales de la fenomenologia.* Madrid: Alianza Editorial, 1994.

JONAS, H. *El Principio Responsabilidad: ensayo de una etica para la civilization tecnologica.* Barcelona: Herder, 1995.

Каланити, П. *Последний вздох жизни.* Рио-де-Жанейро : Секстанте, 2016

KANH,KL *The use and misuse of upper gastrointestinal endoscopy.* Ann Intern Med, v.109, p. 664-670, 1988.

Кант, И. *Избранные тексты.* Петрополис: Возы, 1985.

ЛЕОПОЛЬДО Э СИЛЬВА, Ф. *От философской этики к этике в здравоохранении.* In: *Initiation to Bioethics.* Бразилиа: CFM, 1998.

Левинас, Э. *Гуманизм другого человека.* Петрополис: Лозы, 1993.

Лоун, Б. *Утраченное искусство исцеления.* Сан-Паулу: JSN, 1996.

MORIN, E. *El metodo: la naturaleza de la naturaleza.* 3. изд. Мадрид: Catedra, 1993.

*Хорошо сделанная голова.* Рио-де-Жанейро : Бертран Бразил, 2001 МОРИН, Э. КЕРН, А.Б. *Терра-Патрия.* Порту-Алегри : Sulina, 1995 NIETZCCHE, F. *A Gaia Ciencia.* Sao Paulo: Companhia das Letras, 2001. NOZICK, R. *Anarchy, State and Utopia.* New York: Basic Books, 1974. PESSOA, F. *Livro do desassossego* .Sao Paulo: Edigao de bolso, 2008. ПИКЕТТИ, Т. *Капитал в XXI веке.* Рио-де-Жанейро: Intnnseca, 2014.

PINHEIRO, R.S. *Avaliação do conhecimento sobre cuidados paliativos em estudantes de medicina do quinto e sexto anos.* Mundo da Saude 2010; 34 (3) : 320-26

ПОППЕР, К. *Логика научного исследования.* Сан-Паулу: Cultrix, 1972.

POTTER, V. R. *Bioethics;Science of Survival.* Persp Biol Med, v. 14, p.127153, 1970.

*Биоэтика: мост в будущее.* Нью-Джерси: Энглвуд Клиффс, Прентис Холл, 1971.

*Глобальная биоэтика: опираясь на наследие Леопольда.* Мичиган: Ист-Лансинг, Издательство Мичиганского государственного университета, 1988.

Пригожин, И. *Конец определенности.* Сан-Паулу: Unesp, 1996.

Проект CIRET-UNESCO *Трансдисциплинарная эволюция университета: Какой университет будет завтра? В поисках трансдисциплинарной эволюции университета.* Лугано: ЮНЕСКО, 1997.

REVISTA VEJA. Раздел "Этика". 4 февраля 1998 года.

САНТАНА, Ж.П. *Парадокс медицинского образования.* Boletim ABEM, v.28, n.4 sep./dec.2000.

Сантос, М. *Биоэтика и гуманизация в онкологии.* Brasilia : Elsevier ;2017

SCHRAMM, F. KOTTOW, M. *Principios bioeticos en Salud Publica: limitaciones y propuestas.* Cadernos de Saude Publica, v.1, n.4, 2001 SCOTTINI, M. A. *Предварительные волеизъявления пациентов, находящихся на домашней госпитализации в медицинском кооперативе во Флорианополисе,* Куритиба. Магистерская диссертация PUCPR ; 2016

Сэн, А. *Об этике и экономике.* Сан-Паулу: Companhia das Letras, 1999 *Идея справедливости.* Сан-Паулу : Companhia das Letras, 2011

SIQUEIRA,J.E. *Etica e tecnociencia:uma abordagem segundo o Principio Responsabilidade de Hans Jonas.* Londrina: UEL, 1998.

. *Этические размышления об уходе в конце жизни.* Bioetica, v. 13, n.2, p.37-50, 2005.

СОНТАГ, С. *Болезнь как метафора.* Рио-де-Жанейро: Edigoes Graal, 1984. THE ECONOMIST & LIEN FOUNDATION, *The Quality of death Raakiag end-of-life care access the World,* 2010.

THE ECONOMIST &LIEN FOUNDATION , *Качество смерти Раакиаг уход в конце жизни в мире,* 2015 г.

THE ECONOMIST И СЕМЕЙНЫЙ ФОНД ГЕНРИХА ДЖ. КАЙЗЕРА, *Взгляды и опыт медицинского обслуживания в конце жизни в Японии, Италии, США и Бразилии: Межстрановое исследование.* Апрель, 2017

THE LANCET COMMISSIONS, 2010 *Health professionals for a new century : transforming education to strengthen health* systems in an interdependent world. The Lancet 2010;6736 (10)

61854-5

Тоффлер, А. *Шок будущего.* Рио-де-Жанейро: Артенова, 1973.

Вебер, М. *Наука и политика: два призвания.* Сан-Паулу: Cultrix, 1980.

. *Протестантская этика и дух капитализма.* Сан-Паулу: Cengage Learning, 2008.

74

# Индекс

Milton Keynes UK
Ingram Content Group UK Ltd.
UKHW010853280324
440101UK00001B/228